Janis Mink

JOAN MIRÓ

1893–1983

TASCHEN

KÖLN LONDON LOS ANGELES MADRID PARIS TOKYO

COUVERTURE :
Bleu II (détail), 4–3–1961
Huile sur toile, 270 x 355 cm
Paris, Musée National d'Art Moderne
Centre Georges Pompidou

REPRODUCTION PAGE 1 :
Etude pour : **Constellations**, 1940
31,5 x 23,5 cm
Barcelone, Fundació Joan Miró

REPRODUCTION PAGE 2 :
Danseuse, 1925
Huile sur toile, 115,5 x 88,5 cm
Lucerne, Galerie Rosengart

DOS DE COUVERTURE :
Joan Miró en train de dessiner dans
son atelier, vers 1958
Photo : Walter Erben

Pour être informé des prochaines parutions TASCHEN,
demandez notre magazine sur www.taschen.com ou écrivez à
TASCHEN, 82 rue Mazarine, F–75006 Paris, France, Fax: +33-1-432 67380.
Nous nous ferons un plaisir de vous envoyer à domicile notre magazine gratuit
rempli d'informations sur tous nos ouvrages.

© 2000 Benedikt Taschen Verlag GmbH
Hohenzollernring 53, D–50672 Köln
www.taschen.com
Edition originale : © 1993 Benedikt Taschen Verlag GmbH
© 1993 pour les illustrations de Miró, Matisse, Arp,
Picasso, Man Ray: VG Bild-Kunst, Bonn
Traduction française : Annie Berthold, Düsseldorf
Couverture : Catinka Keul, Angelika Taschen, Cologne

Printed in Germany
ISBN 3-8228-6176-6

Sommaire

Préface

Joan Miró se taisait. Il refusait de prendre part à une discussion pourtant très animée entre les artistes présents à cette réunion tumultueuse. Alors Max Ernst, son collègue et voisin d'atelier, s'empara d'une corde tandis que d'autres emprisonnaient les bras de Miró. Ils lui passèrent un nœud coulant autour du cou et le menacèrent de le pendre s'il tardait encore à parler. Silence obstiné de Miró.

Rien n'a transpiré de l'objet du débat qui faillit coûter la vie à Miró. C'est Man Ray, artiste et photographe, qui immortalisa l'incident en faisant un portrait moqueur de Miró avec, à l'arrière-plan, un morceau de corde évocateur.[1]

Après la mort de Miró en 1983, l'écrivain Michel Leiris, un de ses meilleurs amis, relata que le groupe des surréalistes se moquait volontiers de Miró qui personnifiait à leurs yeux le petit-bourgeois correct et réservé. Il aimait en effet la discipline dans le travail et n'était pas un homme à femmes. Régulièrement, il délaissait Paris, la capitale culturelle, pour séjourner en Catalogne, son pays natal, dont les traditions, les paysages et les arts populaires avaient façonné sa mentalité et son caractère réservé. De plus, beaucoup d'entre eux trouvaient les tableaux de Miró trop naïfs ou enfantins. C'est à l'homme rangé, l'antibohême qu'était destiné sérieusement, au moins en partie, le nœud coulant: «Cette plaisanterie macabre ne pouvait arriver qu'à quelqu'un comme lui. En effet, Miró eut grand-peur d'être réellement pendu. Sa qualité principale était sa fraîcheur d'âme. Il parlait peu et uniquement de ses projets.»[2] Beaucoup plus tard, en 1947, lors de son premier voyage en Amérique, Miró, devenu célèbre, rencontra le fameux critique d'art Clement Greenberg qui fut très déçu par leur entrevue, le peintre s'étant montré, comme toujours, peu enclin à parler. Greenberg raconte: «Ceux qui eurent l'occasion de le rencontrer de son vivant voyaient un petit homme trapu, plutôt taciturne, vêtu d'un costume bleu marine. Il avait une tête toute ronde aux cheveux foncés coupés ras, le teint pâle, les traits réguliers, des yeux et des mouvements vifs. D'une légère nervosité mais impersonnel et distant en la compagnie d'inconnus. On ne pouvait s'empêcher de se demander ce qui avait bien pu pousser ce bourgeois vers la peinture moderne, la Rive gauche et le Surréalisme.»[3]

Cependant, c'est l'alchimie de ses tableaux foisonnants de sexualité, d'humour, de nature, d'excrément, de fantaisie ludique et quelquefois aussi d'angoisse et de rage qui le rendent si familier à son public. Grâce à lui, la peinture rejoint le royaume de la poésie. Cette poésie était le fruit d'un labeur intensif, car pour Miró qui n'était pas un homme du monde ni de réunions, seul comptait le travail. Ce peintre qui était un visionnaire essayait de mener une vie d'ouvrier avec une famille à nourrir. Il réussit à communiquer à son art cette volonté de dépassement qui l'a toujours animé: si sa connaissance privilégiée du monde a servi de support à son art, Miró sut le hisser jusqu'au niveau du mythe, ce monde où vérités et rythmes universels deviennent tangibles. C'est peut-être difficile à comprendre quand on n'a pas de tableaux de Miró devant soi. Aussi est-il préférable de regarder ce que cet homme a peint et de découvrir ce qui l'a motivé.

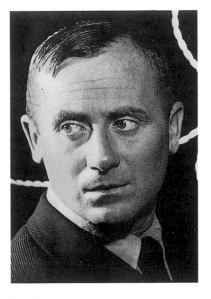

Man Ray
Portrait de Joan Miró, vers 1930
Man Ray prit Miró en photo devant un bout de corde pour évoquer l'incident suivant: comme Miró se refusait à intervenir dans une discussion entre artistes, Max Ernst s'empara d'une corde, la lui mit autour du cou en le menaçant de le pendre, s'il continuait à se taire. Miró se mura dans son silence.

Autoportrait, 1917
C'est le premier autoportrait de Joan Miró et le seul, à part un autre de 1919, qui le montre jeune.

«Si c'est de la peinture, moi, je suis Vélasquez»

Pour devenir artiste, Miró dut surmonter de sérieux obstacles. Ce fut tout d'abord la colère et l'hostilité de ses parents que doit affronter presque tout jeune artiste quand il essaie, pressé par eux de prendre un métier sûr et respectable, de leur tenir tête. Ce fut ensuite l'opposition d'un monde artistique vieilli, enfermé dans ses tours d'ivoire académiques, fulminant contre les jeunes qui cherchaient à prendre la clé des champs. Né à Barcelone en 1893, il appartenait à une génération qui avait dû s'affranchir de tous les -ismes du XIXe siècle, lesquels, comme on le sait, avaient libéré la peinture de l'obligation de représenter des objets identifiables. Au moment où Miró s'apprêtait à faire une entrée fracassante dans le monde artistique, le cubisme avait déjà disloqué et recomposé l'espace du tableau et son sujet et dada venait de faire éclater la révolte nihiliste contre l'art. Les Fauves avaient cessé d'utiliser la couleur pour évoquer la nature et commençaient à utiliser la nature pour évoquer la couleur. En un mot, le monde académique était la cible de feux nourris et quelques groupes ennemis s'étaient déjà formés. Les jeunes artistes devaient choisir leur camp tout en cherchant leur propre voie. Mais les querelles intestines du monde artistique étaient à l'image du déclin général des institutions et des rivalités entre Etats pour établir un nouvel ordre international. A titre d'exemple, citons l'Espagne qui connut 44 changements de gouvernement entre 1898 et 1923.

Si la recherche de son identité artistique fut assez longue, Miró ressentit, en revanche, très tôt un attachement profond à son pays natal. Il n'était pas espagnol mais catalan. Son père était orfèvre-horloger à Tarragone, son grand-père paternel forgeron. (Miró en hérita le prénom.) Le père de Miró quitta son village natal pour aller travailler les métaux précieux à Barcelone et monta bientôt une affaire florissante. La mère était la fille d'un ébéniste de Palma de Majorque. Ce grand-père maternel, trop tôt disparu, était illettré, ne parlait que majorquin mais réussit, à la force du poignet, à devenir un commerçant prospère. Il avait le goût des voyages et alla même une fois jusqu'en Russie par le train, «ce qui était quelque chose à l'époque». Sa femme, la grand-mère de Miró, était «très intelligente et romantique».[4] Les relations du peintre avec sa famille étaient étroites quoique souvent difficiles. Voici ce qu'il écrit sur ses parents:«Ma mère était dotée d'une forte personnalité et d'une grande intelligence. Nous avons toujours été proches l'un de l'autre. Elle pleura quand elle me vit prendre le mauvais chemin. Toutefois, plus tard, elle s'intéressa de très près à mon travail créateur. Mon père, lui, était un réaliste et tout le contraire de ma mère. Un jour, à la chasse, parce que je lui dis que le ciel était lilas, il se moqua tellement de moi que je sortis de mes gonds.»[5] Bien qu'anciens artisans eux-mêmes, ses parents méprisaient la peinture («mauvais chemin») et ne fournissaient à leur fils qu'une aide parcimonieuse. Mais

Miró au milieu d'élèves de l'Ecole d'Art de Francesc D'A. Galí, vers 1912–14 (troisième en partant de la gauche)

Le paysan, vers 1912–14
La peinture contemporaine, en particulier celle de Van Gogh et des Fauves, imprègnèrent les premières œuvres de Miró. On en trouve encore la trace dans la touche et les couleurs de cette peinture à l'huile du début de sa carrière.

Le pédicure, 1901

Esquisse de bijou: *Le serpent enroulé*, 1908

Paon, 1908

Miró se souvenait avec tendresse de sa sœur qui lui glisssait de l'argent quand il «n'avait plus un sou pour s'acheter de la couleur…»[6]

Enfant rêveur et renfermé, de santé fragile, Miró fut un mauvais élève. Il se souvient qu'il était un peu meilleur en géographie, matière figurative et peu profonde, que dans d'autres matières comme les sciences naturelles. Mais, même en géographie, il se laissait guider par son intuition au lieu d'utiliser son savoir. «Je trouvais souvent la bonne réponse à la question du professeur en montrant tout à fait au hasard un point sur la carte avec un bâton.»[7] Miró prit ses premiers cours de dessin à l'âge de sept ans. Et, cette année-là, il se rendit chez ses grands-parents dans l'arrière-pays barcelonais dont les habitants étaient des paysans simples. Pour aller voir sa grand-mère maternelle à Majorque, Miró prenait le bateau, accompagné d'une bonne. De ces voyages naquit son amour de la mer. La fraîcheur estivale lui permettait de se refaire une santé et de se libérer, le temps des vacances, de certaines contraintes de la maison paternelle. Il profitait ainsi de ces séjours campagnards pour observer la nature et passer de longs moments, seul, à dessiner. Dans ses nombreux carnets que Miró a conservés avec soin, il notait avec sérieux et minutie, comme pour s'en souvenir, tout ce qu'avait retenu son regard d'enfant de la vie rustique, de l'architecture, des paysages. Beaucoup plus tard, il retourna régulièrement, de préférence en été et en automne, sur les lieux de sa jeunesse. En 1907, Miró venait d'avoir quatorze ans et achevait une scolarité difficile, il fallut réfléchir à son avenir. Son père tenait à une formation commerciale. Miró dut se plier à la décision paternelle mais put s'inscrire en même temps à la fameuse école des beaux-arts «La Escuela de la Lonja» où le père de Picasso avait enseigné et où Picasso lui-même s'était inscrit pour quelque temps, neuf ans auparavant. Mais comparé à Picasso qui, à cet âge, maîtrisait déjà toutes les techniques académiques, Miró était encore un novice au talent indéfini. Il étudia sous la direction de Modesto Urgell Inglada, peintre de paysages mélancoliques dans le style de Arnold Böcklin, et de José Pasco Merisa, professeur d'art décoratif et appliqué, bien vu par le père de Miró qui imaginait qu'il intéresserait son fils à l'orfèvrerie. Les horizons de Urgell marquèrent beaucoup Miró qui s'en inspira plus tard dans certains de ses tableaux. Pasco lui inculqua le goût de la liberté artistique et le convainquit de suivre ses penchants. Les arts appliqués, où perspective et illusionnisme étaient absents, convenaient bien, dans l'ensemble, à Miró qui pouvait travailler sans trop de contraintes. Lorsque José Pasco Merisa fit découvrir à ses élèves les richesses et la vitalité de l'art catalan, Miró dut être soulagé à l'idée de pouvoir retourner dans la chaleur du giron catalan après la froideur d'un académisme figé.

Sa formation à l'école de commerce terminée, il se retrouva à dix-sept ans commis aux écritures dans une entreprise de construction et de produits chimiques, la maison Dalmau Oliveres, et abandonna la peinture. Miné par cela, il fit une dépression qu'un accès de fièvre typhoïde vint aggraver. Sa maladie convainquit enfin son père de son manque de dispositions pour le commerce et le travail de bureau. Voici ce que Miró écrira dans son journal sur cette période: «Dispute avec la famille; abandonné la peinture pour le travail de bureau. Catastrophe. Fais des dessins dans les livres et suis évidemment mis à la porte. A dix-neuf ans, j'entre à l'Ecole d'art de Galí à Barcelone où je peux me consacrer entièrement à la peinture. Un prodige d'inhabileté et d'incompétence.»[8] Cette école privée, dirigée par Francesc D'A. Galí, était moderniste et progressiste. Galí, le professeur, ouvert à tous les courants de l'art moderne, essayait de créer une atmosphère permettant à chaque élève de conquérir ses propres moyens d'expression mais Galí, l'antiprofesseur, interdisait le dessin à ses élèves quand il partait en montagne avec eux,

Nature morte à la rose, 1916
Des lignes et des couleurs pleines de vie confèrent à cette nature morte une forte expressivité. Peut-être Miró s'est-il laissé inspirer par les natures mortes de Matisse ou de Cézanne.

Paul Cézanne
Nature morte aux pommes et aux oranges,
1895–1900

Henri Matisse
La desserte rouge, 1908

leur mémoire visuelle seule devant retenir leurs impressions. La musique était également au programme de l'école qui avait sa propre chorale et ses concerts hebdomadaires. Les étudiants avaient des loges réservées pour les concerts de la Société de musique de chambre, fondée par Galí à Barcelone. C'est grâce à ccs activités communes que Miró trouva ses premiers amis parmi ses condisciples, entre autres Llorens Artigas, le céramiste, avec lequel Miró réalisa, après la Seconde Guerre mondiale, ses travaux en céramique.

Il est intéressant de noter que Miró prête à deux de ses professeurs la même méthode d'enseignement: Pasco et Galí lui auraient fait dessiner des objets sans pouvoir les regarder. De deux choses l'une: ou ils ont enseigné pareillement ou sa mémoire syncrétiste n'en a retenu qu'une comme le souvenir le plus important de ses années d'études. Miró raconta qu'il devait reconnaître par le toucher un objet qu'il tenait dans son dos et en rendre les formes sur le papier grâce à sa mémoire tactile. Apprentissage utile pour lui qui voulait maîtriser la forme, car s'il se disait bon coloriste, il se considérait comme un piètre dessinateur. Il avait conscience de devoir se libérer de l'apparence des choses pour mieux saisir et transcrire leurs formes.[9] Ainsi l'effet de diversion produit sur lui par cette apparence réelle disparaîtrait-il pour laisser la place à la réalité profonde. Dès lors, Miró abandonna la reproduction trop fidèle des choses pour donner libre cours à sa pictographie inventive et affiner son sens plastique.

Le père de Miró s'assurait régulièrement auprès de Galí que son fils faisait des progrès. Galí raconta plus tard à Jacques Dupin, le biographe de

Vincent Van Gogh
Le Père Tanguy, vers 1887

Claude Monet
La Japonaise (Camille Monet en costume japonais), 1876

REPRODUCTION PAGE 13:
Portrait de E.C. Ricart, 1917
Miró semble imiter Van Gogh ou Monet par une estampe japonaise d'une telle finesse qu'elle disparaît presque sous les couleurs et les formes violentes de la figure. Miró met en contraste et associe, en un tableau, art asiatique et art moderne.

Miró, que son père «était un homme agréable, un vrai Catalan qui avait le sens de l'organisation et les pieds sur terre. Je lui répétais chaque semaine: ‹Votre fils connaîtra le succès, il deviendra un grand artiste›…»[10] Bien que ne manquant pas d'aisance, la famille ne se montrait pas d'une grande générosité envers lui et semblait d'avis qu'il dût assurer son indépendance financière en prenant un métier. «Pour pouvoir à la fois gagner ma vie et m'adonner à la peinture, ma famille me conseilla de devenir moine ou soldat.»[11] Dans l'Espagne de l'époque, le service militaire était obligatoire mais on pouvait acheter une dispense. Le père de Miró ne voulut prendre en charge qu'une partie de la somme à verser et, en 1915, à Barcelone, celui-ci entama un service raccourci, fractionné en périodes de trois mois par an, pour le terminer en 1917. Il passait le reste de l'année à Barcelone dans son atelier qu'il partageait avec E.C. Ricart, un ami de l'école Galí, et à Montroig, un village de la région de Tarragone où, en 1911, sa famille avait acheté une ferme. Jacques Dupin nous rapporte que les Miró avaient fait l'acquisition de cette ferme afin d'accélérer la convalescence de leur fils après sa dépression nerveuse et son accès de fièvre typhoïde. Pour Miró, cet endroit où il avait recouvert la santé et pu se détendre, garda toujours une valeur symbolique: plus tard, c'est là qu'il se rendait quand il voulait rassembler ses idées et faire le point sur ses nouveaux travaux. C'est là aussi qu'il décida des tournants de sa carrière.

Montroig devint pour Miró un critère d'authenticité auquel il pouvait mesurer la force d'expression de son art. Les paysans catalans et leurs familles, les animaux, les insectes, les arbres, les rochers et la terre, tous étaient unis en un univers animiste qui était, à ses yeux, le reflet même de la création. Comme beaucoup d'autres artistes de sa génération, Miró voulut exprimer quelque chose d'éternel et d'essentiel et pour ce faire, il chercha l'inspiration dans ses racines catalanes. En cela il suivait la mode qui était de s'inspirer des Primitifs pour briser le langage académique des formes. D'autres artistes avaient déjà découvert comme sources d'inspiration l'art préhistorique ou l'art populaire, la peinture des malades mentaux ou celle des enfants. La démarche de Miró était différente: il n'avait pas à quitter son monde car ces qualités expressives et brutes, ils les trouvaient en lui-même. Pour un artiste aussi introverti que lui, c'était chose assez aisée.

Il est certain que Miró ne fut pas seulement l'enfant de ses parents bourgeois mais aussi celui de Barcelone au tournant du siècle. L'Espagne, sous le choc de la guerre hispano-américaine, de la destruction de sa flotte et la perte de ses colonies de Cuba, de Puerto-Rico, des Philippines et de Guam (1898), vécut une période de bouleversements fondamentaux et de remise en question de l'unité nationale. La classe moyenne libérale devait admettre que l'Espagne n'était plus une grande puissance et cachait de plus en plus mal son mécontement envers le gouvernement corrompu qui manipulait à son profit la constitution progressive et les élections. Ce furent les cercles intellectuels et culturels qui déclenchèrent ouvertement les hostilités en lançant un appel au renouveau et en réclamant l'indépendance politique de régions culturellement autonomes comme la Catalogne et le Pays Basque. Ces revendications avivèrent les penchants anarchistes de nombreux ouvriers et paysans espagnols, partisans d'une autodétermination et d'une décentralisation totales. Ce mouvement était évidemment renforcé par l'industrialisation et une nouvelle répartition des richesses dans le sud du pays où s'ouvraient mines et fabriques. Le renouveau culturel était pourtant l'objet de controverses. L'identité nationale se disloquait en identités régionales et celles-ci, à leur tour, devaient se réclamer de la tradition tout en s'ouvrant au développement et à l'esprit du XXe siècle.

Portrait de V. Nubiola, 1917

En 1913, alors que Miró venait juste d'atteindre sa vingtième année, le gouvernement qui siègeait à Madrid, autorisa une décentralisation administrative. En Catalogne, le sentiment national était parvenu à son apogée et Miró sentait qu'il devait lui ausssi redécouvrir et renouveler l'art catalan. Barcelone était une ville cosmopolite, très vivante sur le plan culturel mais les arts plastiques y étaient contrôlés par les associations officielles, le groupe influent «Les Arts i les Artistes» et le «Cercle Artístic de Barcelona». Pour Miró, il était nécessaire de se joindre à cette communauté. C'est ce qu'il fit en 1913 en entrant au «Cercle Artístic de Sant Lluc» pour y prendre des cours de dessin et pouvoir exposer aux côtés des autres membres du groupe. (Le groupe Sant Lluc était un groupe dissident du «Cercle Artístic», empreint de grands principes moraux et de vertu chrétienne.) L'esprit de renouveau culturel s'était manifesté dans «le Noucentisme», un mouvement conservateur, pour qui le nouvel art catalan devait rester fidèle à son héritage méditerranéen. Les noucentistes prônaient l'harmonie, la structure et la mesure, notions en elles-mêmes très relatives et se référant au Classicisme. Ils n'acceptaient les avant-gardistes qu'avec circonspection: ils considéraient, par exemple, le Cubisme comme la recherche d'un nouvel idéal de la forme au sens classique. En revanche, ils critiquèrent violemment pour sa «monstruosité» et son anticlassicisme[12] le tableau futuriste de Marcel Duchamps *Nu descendant un escalier* (1912) où était représenté le mouvement.

Bien qu'il se perçût lui-même comme un artiste méditerranéen, Miró refusait les parti-pris noucentistes et était convaincu que les artistes catalans devaient être ouverts le plus possible aux influences étrangères. Lui qui n'avait encore jamais dépassé les frontières de la Catalogne, même pour aller à Madrid, il connaissait très bien les principaux courants artistiques. Il lisait les poèmes, les critiques et les articles des revues de l'avant-garde catalane et française. Des amis lui écrivaient des lettres dans lesquelles ils lui racontaient en détail leurs expériences et impressions de voyage. Il visitait aussi les expositions d'art contemporain, dont les plus importantes avaient eu lieu dans la galerie de Josep Dalmau, lequel avait présenté, par exemple, dès 1912, les peintres cubistes. Miró, comme certains de ses amis, s'efforçait de créer une forme internationale de l'art catalan.

Ses premières œuvres révèlent sa connaissance profonde de l'art contemporain. Les fauves en particulier, ces coloristes expressifs qui, Matisse à leur

Portrait de Heriberto Casany aussi: *Le chauffeur,* 1918
Miró exécuta, de 1917 jusqu'au début de 1918, une série de portraits d'inspiration expressionniste. Les portraits de Nubiola et de Casany montrent comment Miró a substitué ce qui est «représenté» à ce qui est «pictural». La composition très rythmée de *Nubiola* donne une impression de nervosité alors que celle du *Chauffeur* suggère la tranquillité.

Prades, le village, 1917
Le paysage est transformé en motifs abstraits
dont le tracé restitue toute la vigueur du modèle.

Miró et son ami Yvo Pascual, avec le village
de Prades en arrière-plan, 1917

tête, poussèrent plus loin encore la vision de Van Gogh, ont eu une grande influence sur sa peinture. Miró avait recours aux genres connus, nature morte, portrait et paysage, pour expérimenter et trouver son style. Parfois la touche était encore si lourde et si hésitante que le motif s'estompait sans que le tableau lui-même s'en trouvât enrichi, comme c'est le cas dans *Le paysan* (repr. p. 8) de 1914, probablement sa première œuvre. On peut presque sentir l'acharnement avec lequel le peintre essaya d'accorder la couleur, la main et l'œil. *Pendule et lanterne* , une nature morte de 1915, est en ce sens plus réussie: Miró libère les objets et les ombres de leurs couleurs véritables. La couleur rouge de l'étoffe, au premier plan, en introduisant plus de vie et d'éclat dans la toile, devient elle-même motif. La touche, c'est à dire le signe visible de l'art du peintre, semble intimider la petite pendule ainsi que la lanterne, les fruits et l'étoffe que Miró a disposés avec soin sur la table. Les objets, sortis de leur cadre familier, ont perdu la parole. Miró est si occupé à peindre qu'il reste insensible au message de ces traditionnels symboles de la vanité qu'il a

Ciurana, le sentier, 1917
Miró se libère, dans ce tableau, de l'espace illusionniste et semble expérimenter les théories de la couleur.

«Je m'étais replié sur moi-même et plus mon scepticisme envers mon milieu grandissait, plus je me rapprochais de tout ce qui abrite les esprits: les arbres, les montagnes, l'amitié.»
Joan Miró

pourtant choisi de montrer. Considérée d'une façon rétrospective, la *Pendule et lanterne* constitue l'antithèse de ce style personnel que Miró voulait découvrir: un espace pictural recouvert d'une légère couche de peinture, duquel se détachent des objets qui interpellent le spectateur.

Dans une lettre de 1916, Miró écrit: «Nous avons un hiver extraordinaire devant nous. Dalmau présente les simultanéistes: Laurencin…, Gleizes qui a écrit avec Metzinger le livre sur le Cubisme. Les impressionnistes classiques et les fauves modernes seront eux aussi présents à l'exposition française.»[13] Cette exposition française dont se réjouissait tant Miró fut un véritable événement artistique à Barcelone. Elle remplaçait le grand salon annuel des principales sociétés artistiques françaises, qui n'avait pu se tenir à Paris à cause de la Première Guerre mondiale. Le catalogue mentionne quelque 1462 envois. Miró ne fut pas déçu: pour la première fois, il avait devant les yeux des originaux de Renoir, de Bonnard, de Matisse, de Monet et de Redon. Quelques artistes et intellectuels français avaient préféré quitter la France en guerre pour l'Espagne neutre et se retrouvaient souvent à la galerie Dalmau. C'est là que Miró fit la connaissance, en 1917, du dadaïste Francis Picabia, venu à Barcelone pour publier quelques numéros de «391», son influent magazine d'avant-garde.

Pendant la guerre, la Catalogne fut, dans l'ensemble, profrançaise, ce qui eut pour effet d'amener en Espagne non seulement des artistes mais, qui plus est, une certaine prospérité. Miró, ayant été soldat à contrecœur, devenait virulent pour parler des Allemands: «Le jour le plus heureux de notre vie, à nous francophiles, est celui de l'offensive victorieuse des Alliés. On verra bien si on ne peut pas en finir une fois pour toutes avec cette bande de malotrus. Après on ira à Paris pour s'abandonner aux plaisirs de la France que Renoir a si admirablement évoqués dans ses tableaux (son *Moulin de la Galette*, ses femmes, ses nus !).»[14] En ce temps-là, se montrer anti-allemand était presque considéré comme une preuve de sympathie pour les idées de gauche.[15]

C'est l'époque aussi où Miró eut le courage de montrer ses tableaux à Dalmau qui lui promit une exposition personnelle dans sa galerie pour le début de 1918. Cette perspective l'incita à travailler avec plus d'acharnement encore. Le Fauvisme était pour lui une source d'inspiration constante. Non que Miró eut l'intention de copier la peinture française ou toute autre tendance car, selon lui, tous les styles antérieurs, même ceux qui se voulaient encore actuels, avaient été des impasses. Comment expliquer alors qu'il se soit laissé influencer par la peinture française? C'était vraisemblablement une forme de rébellion. Bien que loyal envers son pays, Miró avait beaucoup de mal à souscrire aux ambitions conservatrices des artistes catalans. Ces néoclassiques semblaient rechercher un style catalan bien défini comme une bannière sous laquelle se ranger. Malgré sa jeunesse, Miró avait des idées précises sur le devenir de la peinture moderne et, qui plus est, la ferme intention de ne pas les trahir. De plus, il était trop individualiste pour se vouer à un parti esthétique qui voulait, certes, poursuivre sa marche en avant mais avec lenteur seulement. En 1917, Miró, qui a vingt-quatre ans, écrit à Ricart dont il partagea l'atelier: «Ici à Barcelone, on manque de courage. Lorsque les critiques d'art qui s'intéressent aux courants les plus modernes affrontent un professeur d'académie dépassé, ils fondent devant lui et finissent par l'encenser.»[16]

Miró était bien décidé à ne jamais faire de compromis. Sa première exposition individuelle chez Dalmau dura trois semaines, de janvier à février 1918. Il présenta 64 toiles et de nombreux dessins, tous réalisés entre 1914 et 1917, dont une partie fut endommagée au cours des violentes manifestations dirigées contre l'exposition. Il est fort possible que le *Portrait de E.C. Ricart*

Esquisse d'affiche pour la revue «L'Instant», 1919

Nord-Sud, 1917
Cette nature morte dévoile les influences cul-
turelles de Miró et comporte diverses références à l'art populaire et à la littérature.
L'avant-garde française y est également évo-
quée, sous la forme de la revue «Nord-Sud»,
qui ouvrit la voie à Dada et au Surréalisme.

(repr. p. 13) de 1917 ait été parmi les œuvres exposées. Miró avait intégré
dans ce tableau une estampe japonaise dans les couleurs chatoyantes des
fauves. La rudesse abstraite des rayures du vêtement de Ricart écrase presque les lignes fines et fluides du tableau à l'arrière-plan. Son visage au dessin caricatural rappelle les portraits de l'art roman par sa stylisation linéaire
et sa vue frontale.

Dans un tableau intitulé *Ciurana, le sentier* (repr. p. 17), peint en 1917
dans les collines près de Montroig, Miró n'a pas recouru à une palette de
couleurs naturelles. Il a réalisé une construction rythmique et colorée où les
traits de pinceau s'intègrent d'eux-mêmes à des couleurs claires et cassées
qui se soulèvent et ondulent en stries parallèles et plates. Ici, Miró s'est presque libéré de l'espace illusionniste et donne l'impression d'expérimenter,
dans les contrastes abstraits des jaunes et des verts, des bleus et des lilas, les
théories de la couleur. Une autre œuvre, une nature morte de 1917 intitulée
Nord-Sud (repr. p. 19), dévoile la toile de fond culturelle et inspiratrice de

Le potager à l'âne, 1918
Ces deux tableaux se caractérisent par un luxe
de détails qui illustre l'amour de Miró pour
les petites choses, pour «l'infime».

Miró. Sur une table, des objets, références à l'art populaire comme la chanson, la croissance, le collage et la littérature (peut-être le livre de Goethe sur la théorie de la couleur?), sont disposés en cercle et, au milieu, se trouve le premier numéro de la revue «Nord-Sud» du poète français Pierre Reverdy qui lui a donné le nom de la ligne Montmartre-Montparnasse du métro parisien. Il avait commencé sa publication par un hommage à Guillaume Apollinaire, poète expérimental, drôle et brillant, critique et intellectuel que Miró avait lu et il ouvrit la voie au Dada et au Surréalisme avec des auteurs comme Tristan Tzara et André Breton. L'éloignement géographique, dans cette Espagne secouée par une violente crise politique, n'empêchait pas Miró d'être aux écoutes de son temps.

Plus tard en 1918, il se décida avec des amis partageant ses idées à fonder, au sein du Cercle Sant Lluc, leur propre groupe auquel ils donnèrent le nom de Gustave Courbet, un peintre dont ils admiraient le radicalisme. Les artistes du groupe Courbet (Miró, E.C. Ricart, J.F. Ràfols, F. Domingo et R. Sala, rejoints plus tard par Llorens Artigas) se considéraient comme les plus progressistes de Barcelone. Leur objectif était d'enjamber «les fossiles et les cadavres en putréfaction»[17] des milieux artistiques locaux et de les laisser sur place, loin derrière eux. Ils exposaient dans les locaux du «Cercle Artístic de Sant Lluc». Leurs œuvres, éclatantes de vie et de couleurs, ne correspondaient certainement pas au néoclassicisme que les cercles artistiques conservateurs souhaitaient voir. Le groupe Courbet se moquait bien de l'approbation des uns et des autres et n'en obtint que peu, à vrai dire. On peut mesurer le ton qu'avait pris l'hostilité des néoclassiques au commentaire de l'un d'eux qui, visitant leur première exposition, s'écria: «Si c'est de la peinture, moi, je suis Vélasquez!»[18]

De juillet à début décembre 1918, Miró séjourna à Montroig. Pendant cette retraite, il réfléchit très certainement à ses premières expositions et au monde artistique de Barcelone. La sévérité de certaines critiques dut lui paraître en partie justifiée; en tout cas, il aborda une nouvelle étape de sa vie de peintre. Ràfols, du groupe Courbet, qui plus tard écrira sur Miró, l'appelait sa «phase détailliste». Jacques Dupin, son biographe, parlait de «réalisme poétique». Miró écrit à Ricart en juillet 1918: «J'ai commencé à travailler il y a quelques jours. Je suis depuis le début du mois à Montroig et la première semaine, je ne voulais pas songer à toucher une toile ni même à autre chose. Le matin, à la plage pour m'y allonger sur le dos….l'après-midi, une excursion ou une longue promenade à vélo. La deuxième semaine, je commençai à songer à travailler et au milieu de la semaine dernière, j'entrepris deux paysages. Pas de simplifications ni d'abstractions, mon ami. En ce moment, je ne m'intéresse qu'à la calligraphie d'un arbre ou d'un toit,

L'ornière, 1918
«Au moment de travailler à un paysage, je commence par l'aimer, de cet amour qui est fils de la lente compréhension. Lente compréhension de la grande richesse de nuances – richesse concentrée – que donne le soleil. Bonheur d'atteindre dans le paysage à la compréhension d'un brin d'herbe – pourquoi le dédaigner? – ce brin d'herbe aussi beau que l'arbre ou la montagne.»
Joan Miró

feuille par feuille, branche par branche, brin d'herbe par brin d'herbe, bardeau par bardeau. Ça ne veut pas dire que ces paysages ne finiront pas par
être cubistes ou fauves. Enfin on verra… L'hiver prochain, ces messieurs les
critiques constateront à nouveau que je persiste dans ma désorientation.»[19]

Miró peignait en plein air et méditait en même temps. Il avait certainement lu le poète américain Walt Whitmann, en particulier son «Chant de
moi-même»:

«Je fais la fête et j'invite mon âme; allongé sur le sol, je me repose à
mon aise et observe un brin d'herbe estival.» A la campagne, il était appa-
remment moins soucieux de questions de style que de montrer son cher
Montroig. Il peignit quatre paysages des alentours de la ferme: *Le potager à
l'âne* (repr. p. 20), *La briqueterie, La maison du palmier* et *L'ornière* (repr.
p. 21). Ces toiles se caractérisent par une attention naïve apportée aux détails et associent l'iconographie hiératique des retables gothiques à de déli-
cates fantaisies ornementales. Ses couleurs ont changé, elles sont maintenant plus naturelles et terreuses. Un mois plus tard seulement, il décrit à J.F.
Ràfols ce changement: «Cette semaine, j'espère pouvoir terminer deux paysages… Comme tu vois, je travaille avec une grande lenteur. Au moment
de travailler à un paysage, je commence par l'aimer, de cet amour qui est le
fils de la lente compréhension. Lente compréhension de la grande richesse
de nuances – richesse concentrée – que donne le soleil. Bonheur d'atteindre
dans le paysage à la compréhension d'un minuscule brin d'herbe – pourquoi le dédaigner? – ce brin d'herbe aussi beau que l'arbre ou la montagne.
A l'exception des Primitifs ou des Japonais, personne ne s'est penché sur
cette chose si divine. On ne recherche et on ne peint que les grandes masses
des arbres ou des montagnes, sans prêter l'oreille à la musique qui émane
des fleurs minuscules, des brins d'herbe et des petites pierres du ravin – si
enchanteur. Je ressens un peu plus chaque jour la nécessité d'une grande discipline – la seule façon d'atteindre le classicisme (ce qu'on devrait rechercher – le classicisme en tout). Je considère ceux qui ne sont pas assez forts
pour travailler d'après nature comme des esprits malades et je me refuse à
croire en eux…»[20]

Au cours de l'année 1919, Miró peignit un tableau déconcertant: un *Auto-portrait* (repr. p. 23) où il porte la même chemise rouge que celle de Vicente Nubiola sur le portrait que Miró fit de lui (repr. p. 14). Sur Miró, on dirait un pyjama en soie. Le col ouvert laisse apparaître un pli sensuel du cou et une petite touffe de poils énergique de forme triangulaire. Bizarrement, il fait presque déshabillé.Comparée aux contrastes violents du *Portrait de E.C. Ricart* (repr. p. 13) réalisé deux ans auparavant, l'atmosphère est ici plus nuancée et plus feutrée. Les fossettes, les rides et les parties saillantes de son visage jeune sont comme ciselées, ses cheveux bien coiffés ressemblent à un casque huilé.

Mais c'est la similitude entre sa manière de traiter la chemise et son «dé-taillisme» des paysages qui est peut-être l'aspect le plus intéressant de la toile. On a l'impression que Miró a besoin d'un fond abstrait pour mieux mettre en valeur chaque singularité: ici, le visage et dans les paysages, un bâtiment, un âne ou un paysan. Tandis qu'un côté du pyjama montre sans doute son motif d'origine, l'autre côté fait apparaître un ensemble équilibré de plis et de creux triangulaires, d'inspiration nettement cubiste. La chemise que Miró a revêtue symbolise sa façon de considérer le tout nouveau Cubisme comme un simple vêtement à la mode habillant les objets qu'il peignait. Les formes triangulaires ne semblent ni se détacher de l'ensemble ni faire vraiment corps avec lui. Miró a fait très peu de portraits et celui-ci est le seul, à l'exception d'un autre réalisé en 1917 (repr. p. 22), qui le représente jeune. On y voit Miró à l'âge de vingt-sept ans, vivant à Paris depuis 1920, résolu à surpasser toutes les écoles de la peinture française. C'est peut-être aussi l'impression qu'a eue Picasso lorsqu'il acheta cette toile, un an après leur première rencontre.

L'un des derniers ensembles où Miró associe des élements détaillistes à des éléments cubistes est *La table (Nature morte au lapin)* (repr. p. 25), une nature morte de 1920, dans laquelle le contraste entre les styles est plus net encore que dans *Autoportrait*. Si la table et l'espace qui l'entoure sont représentés par des formes triangulaires très stylisées, le lapin, le poisson, les légumes, les feuilles de vigne et le coq sont, par contre, d'une écriture réaliste. Seule la cruche, qui semble sans vie, est stylisée elle aussi. Les animaux paraissent étonnamment vivants même s'ils sont sans aucun doute destinés à un repas. Le contraste des styles se reflète clairement dans cette antinomie.

La table (Nature morte au lapin), 1920
Sur une table au dessin cubiste sont disposés des animaux et des objets d'une peinture naturaliste. Miró n'intègre pas, au contraire du Cubisme, les figures réalistes dans la structure géométrique et rend ainsi insurmontable la contradiction entre les deux mondes.

Un moine, un soldat et un poète

Miró s'installa à Paris en 1920, après avoir pris toutes les dispositions et les précautions que sa nature et ses moyens précaires nécessitaient. Il précise dans une lettre: «Moi qui ne possède RIEN pour le moment, je dois gagner ma vie, que ce soit à Paris, à Tokyo ou en Inde.» Mais il semble qu'il ait reçu tout de même de l'argent de sa mère pour couvrir ses frais d'installation.[21] Il logeait dans un hôtel tenu par des compatriotes où séjournaient de nombreux intellectuels catalans. Il n'avait pas d'atelier, ce qui ne le dérangeait pas vu qu'il n'était pas en état de peindre. La ville l'avait en effet ébloui.

Pendant son séjour à Paris, il rencontra Picasso dont il connaissait la mère depuis qu'il était allé chez elle, à Barcelone, pour voir les toiles de son fils. Picasso se montra cordial envers lui et prêt à lui apporter son soutien. «Au début, Picasso, bien entendu, très réservé avec moi, mais depuis peu, après avoir vu mon travail, débordant d'enthousiasme. Conversation pendant des heures dans son atelier, très souvent…»[22]

Dalmau vint à Paris et se mit à établir des contacts pour Miró. Il réussit à placer quelques toiles dans des collections privées et présenta l'œuvre du peintre à des gens influents. Tristan Tzara arriva lui aussi à Paris et commença les manifestations dada au printemps 1920. Miró qui connaissait quelques artistes liés à dada depuis Barcelone s'intéressait de près au mouvement et assista même à un festival dadaïste. Leur anarchie poétique l'impressionnait beaucoup.

Le séjour parisien de Miró avait des effets stimulants et contradictoires sur le peintre: il découvrait le Louvre et ses trésors tout en fréquentant un groupe nihiliste qui faisait de la destruction de l'art une institution. Miró écrivait en 1920: «Je préfère les bouffonneries de Picabia ou de n'importe quel dadaïste imbécile à la facilité paresseuse de mes compatriotes de Paris qui empruntent à Renoir (dont la seule valeur aujourd'hui est celle d'un classique) ou qui produisent un mélange dilué de Sunyer et de Matisse.»[23] A sa manière, il semble faire écho au message d'une œuvre de Picabia réalisée en 1920. Celle-ci représente un cadre contenant un singe empaillé et disloqué ainsi que plusieurs inscriptions «Portrait de Cézanne – Portrait de Renoir – Portrait de Rembrandt.»

Passé le premier mouvement d'admiration, Miró retrouva sa pondération et se mit à regarder le monde artistique parisien d'un œil plus critique. Il devait reconnaître qu'une bonne partie de l'art contemporain n'émanait pas de l'impérieuse nécessité d'exprimer une idée imminente mais qu'elle était souvent produite pour être vendue. Miró, l'idéaliste et le moraliste, qui possédait lui-même si peu d'argent, ne pouvait accepter cela. Dans une lettre qui révèle à la fois ses exigences vis-à-vis de lui-même et son optique religieuse, il explique: «J'ai vu quelques expositions des peintres modernes. Les Français sont endormis. Exposition Rosenberg. Œuvres de Picasso et de Charlot. Picasso très fin, très sensible, un grand peintre. La visite à son atelier m'a démoralisé. Tout est peint pour son marchand, pour l'argent. Une visite chez Picasso, c'est comme une visite à une danseuse étoile qui a trop de soupi-

Nu, 1917

Nu debout, 1921
Les formes se font de plus en plus géométriques: les emprunts fauves et cubistes ont presque disparu et la composition passe au premier plan. Ce tableau représente en premier lieu une femme, en second lieu un ensemble de pièces emboîtables.

rants… Ailleurs, j'ai vu des tableaux de Marquet et de Matisse; il y en a de très jolis mais ils en font beaucoup, juste pour dire de les faire, pour les marchands et pour l'argent. Dans les galeries, on voit beaucoup de déchets insensés… La nouvelle peinture catalane est infiniment supérieure à la peinture française; je suis absolument persuadé que l'art catalan sera notre sauveur. Quand la Catalogne autorisera-t-elle ses vrais artistes à gagner assez pour manger et peindre? La manière rude de la Catalogne de traiter les choses spirituelles pourrait être le Calvaire de la rédemption. Les Français (et Picasso) sont condamnés parce qu'ils suivent un chemin tracé et qu'ils peignent pour vendre.»[24]

En juillet 1920, Miró était à nouveau à Montroig et, encore sous le coup de ses impressions parisiennes, il se remit à travailler. Mais c'est son second séjour à Paris qui marqua réellement un tournant dans son travail. Il réussit, en 1921, à louer l'atelier du sculpteur espagnol Pablo Gargallo qui rentrait à Barcelone chaque hiver. Cet atelier était situé dans la rue Blomet et le hasard faisant bien les choses, Miró avait André Masson pour voisin.

La plupart des historiens qualifient les années que Miró passa rue Blomet de phase héroïque de sa carrière. Celui-ci parle d'«un lieu décisif, d'un moment décisif pour moi.»[25] Dans ses «Souvenirs de la rue Blomet», recueillis par Jacques Dupin, il relate sa vie de 1921 à 1927 sous des couleurs gaies et pleines de vie. Selon lui, «la rue Blomet, c'était l'amitié, un échange d'idées passsionné et la découverte de nouvelles idées dans un cercle d'amis merveilleux.»[26]

L'énumération de tous les écrivains et artistes que Miró côtoya à cette époque se lit comme un livre d'histoire des idées de l'époque: citons Max Jacob, Michel Leiris, Roland Tual, Benjamin Péret, Pierre Reverdy, Paul Eluard, André Breton, Georges Limbour, Armand Salacrou, Antonin Artaud, Tristan Tzara et Robert Desnos, sans oublier Ernest Hemingway, Ezra Pound et Henry Miller. Les poètes du groupe, en particulier, ont exercé une grande influence sur Miró. Esprits novateurs, ils voulaient se débarrasser de toute structure et des métaphores éculées pour faire place aux sensations immédiates. La poésie devait devenir visuelle et tendre vers l'objet. Miró, si réservé et travaillant avec une discipline presque militaire, fut introduit dans ce milieu par André Masson qui était tout le contraire. Il pouvait travailler au milieu de visiteurs, Miró, lui, avait besoin de calme et de solitude.

La première exposition de Miró à Paris s'ouvrit en avril 1921 à la Galerie Licorne, connue pour ses expositions d'art avant-gardiste. Aucune toile ne fut vendue. Même pour un Miró qui se considérait comme un artiste pur et désintéressé, cet échec commercial et artistique dut être une énorme déception. Plus tard, en 1928, ayant certainement assez de recul, il déclarait «que si cette exposition n'avait pas été remarquée par beaucoup de gens, ceux qui en parlaient étaient pleins d'espoir pour moi et persuadés que j'irais loin et qu'on m'accepterait finalement.»[27]

L'été suivant, à peine rentré à Montroig, il entreprit de débarrasser sa peinture de toutes les conventions stylistiques qui l'encombraient et fit disparaître presque complètement les emprunts au Fauvisme et au Cubisme. Il prospecta ensuite dans une nouvelle direction et commença à recourir à des formes géométriques très simples. Peu de temps auparavant, pendant la Première Guerre mondiale, Marcel Duchamp et Francis Picabia avaient été des précurseurs en peignant des «machines» fantastiques faites de roues dentées, de boutons, de tubes, de vis et de bien d'autres objets abstraits et indéfinissables. Ces machines avaient souvent une conformation anatomique et plus encore sexuelle. Si leur conception était hautement inventive, elles s'inscrivaient cependant dans le nouveau mouvement d'abstraction géométrique qui se développait en Europe sous la forme du Constructivisme, autour de la re-

Nu debout, 1918

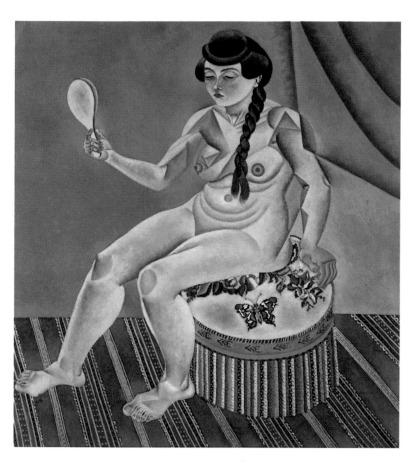

Nu au miroir, 1919
La broderie du pouf est presque palpable alors que la créature féminine aux formes anguleuses se dérobe au regard du spectateur. Son corps ressemble à une armure, son visage traduit un calme intérieur plein de mystère.

vue De Stijl et du Bauhaus. Miró suivit cette tendance sous le patronage de Picabia, sans toutefois souscrire aux idées de réforme politique et sociale attachées au mouvement. Dans son *Nu debout* (repr. p. 26) de 1921, Miró a placé la figure féminine sur une construction de parallélogrammes et de rhombes et fait reposer le pied gauche sur un rectangle noir. Le fond est bleu et anguleux, délimité par des bandes noires dont l'une est interrompue par une ligne blanche au même tracé angulaire. Ses seins pointus et durs ressemblent à des obus. En même temps, l'expression figée de son geste et le dessin de son anatomie rappellent les figures hiératiques du roman, comme dans la rondeur blanche du genou et le fractionnement du corps. Au lieu de marteler, comme d'habitude, ses paysages par des motifs répétitifs, Miró a composé ici un rythme contrapuntique. Le regard se déplace sur la toile par un mouvement en zigzag, de la masse noire sous le pied au genou blanc, aux poils du pubis, puis aux seins et aux ongles blancs jusqu'à la chevelure noire. La ligne blanche sur la droite éclaire la direction dans laquelle le modèle regarde. La masse sombre qui lui fait face rappelle celle qui est sous le pied. Cette composition, qui est plutôt vide et plate, apparaît, en fait, comme d'une très grande construction. En effet, le tableau présente d'abord une femme, ensuite un assemblage de pièces emboîtables. Miró démontre ainsi que des dessins géométriques, par leur réitération, peuvent tendre vers un équilibre des formes. Désormais cet équilibre aura une présence propre dans les compositions de Miró, au lieu d'y être seulement un élément secondaire.

Nu assis, 1917/18

La ferme, 1921/22
Cette œuvre majeure de Miró offre diverses interprétations. Ernest Hemingway l'acheta parce qu'il y retrouvait le paysage et la mentalité catalans.

La ferme (repr. p. 30), une de ses œuvres maîtresses et certainement la plus connue, fut réalisée, elle aussi, en 1921. Il serait difficile d'expliquer, sans les influences artistiques récentes, les correspondances et les éléments abstraits qui foisonnent dans ce tableau, que ce soient le cercle noir et la base blanche de l'eucalyptus au centre de la composition, le carré rouge sur la droite qui défie la spatialité du poulailler que pourtant il décrit, les tuiles rouges et les formes rhombiques noires à gauche ou même la lune ronde (le soleil pourrait-il être si pâle?), la roue de voiture rouge ou enfin le perchoir du coq. La douceur lyrique et les formes organiques des premiers paysages ont disparu. Il a choisi cette fois-ci de nombreux objets en métal ou en bois qui, au lieu d'empiéter les uns sur les autres, se détachent chacun clairement sur le fond de la composition. On retrouve la dureté piquante du *Nu debout* (repr. p. 26) dans le tronc hérissé d'épines de l'eucalyptus, en partie défeuillé, ainsi que dans la terre sèche et pierreuse d'une couleur rouge brun. Miró reprend quelques aspects du style roman: la taille de certains détails, par exemple, ne correspond pas à la réalité mais est accordée à l'importance que leur donne le peintre. Il écrit: «Je ne crois pas qu'on devrait donner plus d'importance à une montagne qu'à une fourmi (mais un paysagiste ne voit pas ça tout simplement)…»[28]

Au moment où il construisait, dans ses œuvres, la hiérarchie des animaux et des hommes, l'artiste du roman avait conscience qu'il lui fallait maîtriser la sévérité de leur isolement en les fixant solidement dans ses compositions par un champ de tensions entre équilibre et symétrie. C'était une haute forme de l'art, comparable à l'architecture: il s'agissait moins, en effet, de raconter une histoire ou de montrer la réalité que d'ériger un cadre conceptuel pour une manière de penser chrétienne.

Ce ne fut pas facile pour Miró d'associer des éléments contemporains et des éléments traditionnels, car il voulait à tout prix éviter de faire du style. «Pendant les neuf mois que j'ai travaillé sur *La ferme*, je peignais sept ou huit heures par jour. Je souffrais terriblement, horriblement comme un dam-

La ferme de Montroig représentait pour Miró la source de l'énergie vitale: «…La terre de Montroig: je la sens littéralement et même de plus en plus; déjà, petit garçon, je la sentais. C'était pour moi un besoin physique.»

né. J'effaçais beaucoup et commençais à me débarrasser de toutes les influences étrangères et à prendre contact avec la Catalogne.»[29]

Le thème central de *La ferme* semble être celui de la fécondité – peut-être une métaphore sur la productivité artistique – soulignée par des motifs afférents, répartis sur toute la surface du tableau à la façon d'une tapisserie médiévale. Il est fascinant d'en «lire» les allusions répétitives. Au premier plan, Miró a placé un arrosoir à pomme rouge, devant lequel un seau semble s'être incliné. Derrière lui est posé un journal dont le nom «L'Intransigeant», amputé par la pliure, ne comporte plus que la syllabe «L'Intr». Le journal étant orienté vers l'arrosoir, on a l'impression que cette syllabe unique est une consigne adressée à l'arroseur. Si l'on suit le chemin étroit qui part des tuiles, le regard est attiré par sept empreintes de pied nu qui s'interrompent subitement sans être allées nulle part. Le chemin conduit pourtant jusqu'à un puits ou un abreuvoir, au dessus duquel une femme est penchée. Près d'elle se trouvent des pots, un seau et une bouteille. Elle a le dos tourné et, un plus loin, à peu près au centre de la composition, comme un point de fuite principal, une figure glabre et nue se tient accroupie, telle une statue d'idole. Elle a un aspect de fœtus ou de batracien et la moitié de son corps est soulignée par un cerne sombre.

Est-ce son enfant? Le chien aboie-t-il après elle ou à la lune comme dans un de ses tableaux ultérieurs (repr. p. 47)? Derrière le puits, un mulet de manège actionne une pompe ou un moulin. Il tourne en rond, inlassablement, sans arriver nulle part mais accomplissant quelque chose malgré tout. Le coq, les lapins et la chèvre sont, dans cette double lecture simultanée, des allusions sexuelles et des êtres vivants dans une ferme à Montroig. La végétation est pauvre: les champs se trouvent ailleurs ou la ferme, qui donne une impression négligée, n'est plus exploitée. Dans la partie inférieure gauche de la toile fleurit une immense plante sauvage. Ce pourrait être un de ces cactus de l'Algarve qui ne fleurissent que tous les sept ans, en un cycle de lente et dramatique fécondité. Vu l'évolution artistique laborieuse de Miró, ces détails pourraient indiquer qu'il se sentait enfin approcher de la vraie source d'inspiration.

La ferme est dominée par les cadres légers du poulailler et de l'étable ainsi que par l'eucalyptus au milieu. On peut même qualifier ce tableau d'architectural en raison de sa construction minutieuse. Miró le remania de nombreuses fois, l'emmenant avec lui entre Paris et Barcelone. Il insista toujours sur la peine qu'il eut à le terminer. Exagérant même le temps passé sur cette toile, il déclarait dans une interview vers la fin de sa vie: «Il me fallut presque deux ans pour achever ce tableau mais pas parce que j'avais des difficultés à peindre. Non, la raison pour laquelle cela dura si longtemps était que ce que je voyais se métamorphosait. Le tableau était absolument réaliste. Je n'inventais rien. Je n'enlevais que la clôture du poulailler parce qu'elle empêchait de voir les animaux. Avant que la métamorphose ne se produise, je devais enregistrer le plus petit détail de la ferme que j'avais devant moi à Montroig. Par exemple, je copiais avec application le grand eucalyptus au centre de la toile. Chaque fois que je m'éloignais du modèle, je prenais un morceau de ces craies avec lesquelles les enfants d'école dessinent au tableau et faisais les corrections nécessaires. J'avais l'intime conviction qu'en essayant de faire la synthèse du monde autour de moi, je travaillais à quelque chose de très important.»[30]

La table au gant, 1921

L'arbre avec ses racines profondes et son potentiel de croissance est l'emblème du peuple catalan[31]; ce qui explique peut-être que Miró ait placé un eucalyptus au centre de son tableau. L'architecte barcelonais Antoni Gaudí, un compatriote que Miró admirait tant, avait, lui aussi, fait de l'arbre sa source d'inspiration. Gaudí, qui mourut en 1926 d'un accident de tramway, montra un jour un eucalyptus devant sa fenêtre et déclara: «Un arbre droit; il porte ses branches, celles-ci portent les rameaux qui, eux, portent les feuilles. Et chaque partie pousse harmonieusement, magnifiquement car c'est l'artiste Dieu lui-même qui l'a créé. Cet arbre n'a besoin d'aucune aide extérieure. Tous les éléments y sont en équilibre.»[32] Même si les deux eucalyptus auxquels Gaudí et Miró se réfèrent sont différents, ils sont tous les deux des métaphores d'une justesse d'expression et de fonction naturelle à tout un peuple. On fait le plus souvent un parallèle entre les lignes onduleuses de la peinture de Miró et les formes sinueuses de l'architecture de Gaudí pour trouver dans l'Art Nouveau l'origine de la ligne de Miró. On pourrait cependant établir des liaisons d'un tout autre ordre et moins évidentes, telles que la même méthode de travail ou la même propension à réinventer l'art catalan, sur fond de tradition et de siècle nouveau. Gaudí, qui construisait la plupart de ses œuvres en pierre ou en brique au lieu de matériaux modernes, s'intéressait aussi à la forme fonctionnelle telle qu'elle émanait de la struc-

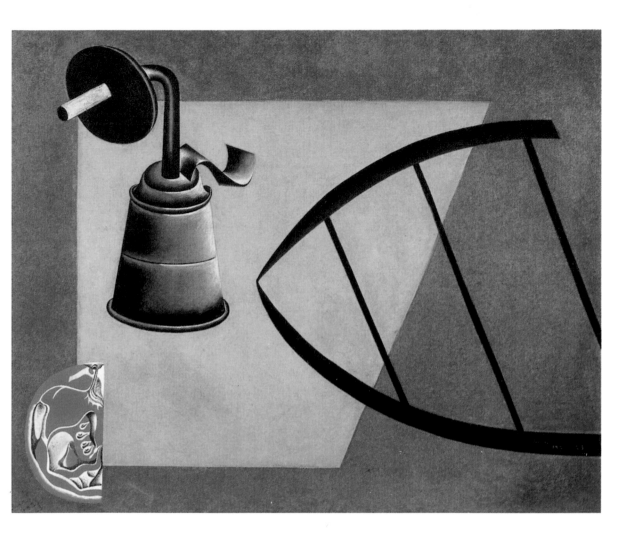

La lampe de carbure, 1922/23
Les objets se réduisent à des formes aux contours précis, posées sur un fond très plat. Les nuances modulées de la lampe contrastent avec la simplification linéaire du fruit et de la grille.

ture. Les solutions architectoniques peu conventionnelles qu'il apporta aux problèmes statiques de poids et de soutien ont peut-être influencé Miró très directement.

On peut cependant percevoir dans *La ferme* (repr. p. 30) une autre influence contemporaine, celle des Naïfs. Lorsque Miró peignit en 1921 cette œuvre clé, la peinture naïve venait d'être reconnue par l'avant-garde comme un genre à part entière. Henri Rousseau avait créé un réalisme ciselé qui, se plaçant, sans le vouloir, bien en dessous des exigences conventionnelles de l'art, paraissait humoristique ou énigmatique ou même subverti. Rousseau, le primitif autodidacte, était aimé et fêté par l'avant-garde; son œuvre fut fausse au bon moment. A l'instar de Rousseau qui mettait ses personnages en scène sur une toile de fond, comme un enfant met une poupée dans une maison de poupée ou comme un photographe installe ses modèles devant un décor de studio, Miró prenait, lui aussi, ses objets un par un pour les placer dans sa composition. Mais à l'inverse de Rousseau qui ne faisait naître qu'un calme glacé dans ses tableaux, Miró, lui, réussit à insuffler de la vie aux objets de *La ferme*. Sous ce rapport, Miró, qui avait passé une partie de sa jeunesse dans la Catalogne rurale, était peut-être plus profondément enfant que Rousseau. Celui qui connaît bien les enfants en bas âge sait que, pour eux, rien, pas même une image bidimensionnelle, n'est inanimé. Miró ne s'est jamais étendu sur le sens de son tableau, il s'obstinait à dire simplement qu'il représentait Montroig. (Il a avoué, malgré tout, avoir changé l'aspect du mur de l'étable en ajoutant de la mousse et des fissures afin qu'il apparaisse plus en équilibre avec le poulailler.)[33] Aucune galerie ne s'étant trouvée preneur, la toile fut acquise par Ernest Hemingway. Mais pour l'acheter, il lui fallut d'abord faire ses fonds de poches, puis, plus tard, il l'offrit à sa femme qui la prêta à la National Gallery of Art de Washington où on peut encore l'admirer. Selon Hemingway, Miró prétendait avoir peint la toile en neuf mois[34], «le temps de porter un enfant», phrase qui se réfère intuitivement à la métaphore de la fécondité et de la maternité, présente dans le tableau. Miró était très attaché à Montroig, à cette ferme si familière, mais il restait avant tout un bourgeois de la ville qui ne s'intéressait que de loin à la vraie vie paysanne. Dans l'Espagne de 1930, près de la moitié de la population active espagnole était paysanne. Cette proportion augmenta encore au

La fermière, 1922/23
Miró explique pourquoi il ajouta le cercle à la composition initiale: «Je trouvais que j'avais peint le chat trop grand; la construction du tableau s'en trouvait déséquilibrée. C'est la raison de la présence du cercle double et des deux lignes à angle droit, au premier plan. Ils paraissent symboliques et ésotériques mais, en fait, ils n'ont rien d'imaginaire.»

L'épi de blé, 1922/23
L'épi de blé se caractérise, comme *La lampe de carbure*, par une simplification des formes et des couleurs. L'intérêt grandissant de Miró pour les formes linéaires se manifeste clairement dans le graphisme de l'épi.

cours de la Seconde Guerre mondiale en raison des difficultés économiques. A cette époque-là, Miró lui-même aurait considéré la ferme de Montroig comme une source potentielle de revenus. Dans son carnet de souvenirs catalans de la période 1940–1941, il relate ses efforts pour réorganiser sa vie de manière à devenir indépendant sur le plan financier. Mais sans oublier de rester aussi un vrai poète et de «ne jamais laisser l'homme d'affaires prendre la haute main sur moi… je dois réfléchir sérieusement à cette histoire de ferme, cela me permettrait d'avoir un style de vie indépendant et, qui plus est, ce contact direct avec la terre et les hommes qui la cultivent, avec les éléments qui y sont attachés serait pour moi d'une grande valeur humaine, il m'enrichirait en tant qu'homme et tant qu'artiste.»[35]

Miró, était à sa manière, un vrai romantique pour qui l'authenticité des gens et des paysages servait de matière première. Peut-être a-t-il réussi à saisir ce qui était essentiel pour lui dans la ferme, tout en laissant s'exprimer les impulsions qu'il recevait du monde artistique contemporain.

Liberté poétique

Un nouveau changement s'annonça dans l'œuvre de Miró et, en 1923, un univers fantastique d'êtres et de symboles naquit de son imagination. S'il est encore possible de reconnaître dans la *Terre labourée* (repr. p. 38) la ferme de Montroig, les animaux, la maison, les champs et les plantes, en revanche, sont devenus des êtres inquiétants, déformés jusqu'à la laideur. Pourtant ils tiennent fermement à leur identité propre. Miró semble vouloir faire passer un message anti-intellectuel, prosensuel dans sa toile. Un grand lézard au chapeau pointu qui surgit d'un tube est un diable jaillissant de sa boîte. Le poisson, dont on ne voit plus que la tête, a perdu son corps et suggère à la fois une odeur nauséabonde et la proximité de la mer. L'oreille est un auditeur gigantesque. L'œil au faîte de l'arbre voit tout. Des pointes vous invitent à les toucher et vous repoussent. Miró raconte combien il aime sa Catalogne natale de tout son corps et de ses sens mais le paysage semble pourtant lui résister. Il provoque son admiration mais il n'est pas le paradis. Les drapeaux catalans, espagnols et français qui flottent au vent dans l'arbre pointu, se tendent comme des arcs avec optimisme. Des oiseaux planent dans le ciel près de la couronne triangulaire d'un cactus. Liberté? Le journal plié au premier plan nous dit «jour» en français mais une petite nuit tombe sur l'angle droit du tableau où une chose est pendue, peut-être une grosse araignée ou simplement une feuille.

La *Terre labourée* tient du collage par la juxtaposition insolite de figures, mais aussi de la poésie contemporaine par son thème. Margit Rowell et Rosalind Krauss ont reconnu, par exemple, dans le lézard «Merlin l'Enchanteur coiffé de son chapeau pointu» de «L'Enchanteur pourrissant» de Guillaume Apollinaire.[36] Il n'est pas surprenant que Miró, qui lisait beaucoup entre ses séances de peinture, ait poursuivi dans son œuvre un dialogue imaginaire avec les auteurs qu'il lisait. De même que le drapeau français est le pont qui mène au cactus, les livres que Miró emportait à Montroig sont le pont qui le reliait à Paris. Pour lui, lire n'était pas un exercice de décontraction. «Dans la pièce qui me sert d'atelier, j'ai toujours des livres qui traînent et que je lis pendant les pauses. Cela exige un effort intellectuel constant de ma part.»[37] Que Miró ait transposé dans ses tableaux certains caractères et images qu'il découvrait dans ses lectures, c'est tout à fait possible, mais il ne les a jamais représentés directement. Ou plutôt, ils étaient eux-mêmes présents à Montroig parce que Miró les avait projetés en pensée dans le paysage. Nous savons aussi qu'à l'inverse, il ramenait d'Espagne de menus objets tels que jouets, flûtes en céramique, brins d'herbe, petits drapeaux et coquillages. Miró filtrait et classait sans cesse ses accointances et ses mondes réels ou imaginaires d'après leur signification et leur effet.

Le chasseur (repr. p. 39) de 1923/24 est presque aussi grand par son format que la *Terre labourée* (repr. p. 38) et lui ressemble par le soin apporté à l'ordonnance des formes. Mais le sujet, pourtant, a changé et la réalité a complètement disparu. La base circulaire de l'arbre de *La ferme* (repr. p. 30) est devenue le symbole abstrait de l'arbre lui-même sous la forme d'un

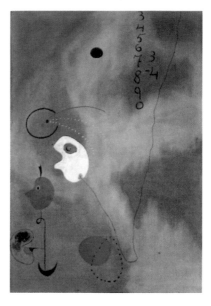

L'addition, 1925
C'est dans les années vingt, si importantes pour Miró, qu'apparaît la série des «Peintures-Poèmes» dans lesquelles le peintre allie la couleur au mot ou au chiffre.

Paysage, 1924/25
Création d'un monde mythique où se meut toute une figuration, peinte avec application et minutie. L'infime passe au premier plan: l'épi de blé et la fleur ont la taille d'un arbre, les insectes remplacent les hommes.

Terre labourée, 1923/24
Le langage pictural de Miró évolue en un système de signes et de couleurs qui traduisent
chaque élément de la nature et chargent la
moindre chose d'une résonance magique. On
reconnaît cette évolution dans **Terre labourée**:
les choses ne se sont pas encore métamorpho-
sées complèment en un univers de signes auto-
nome.

grand disque clair et irrégulier, marqué d'un point noir d'où part une diago-
nale coiffée d'une seule feuille. Il correspond au caroubier de la *Terre labourée* et un œil lui a poussé, à lui aussi. Sur la gauche, une figure au dessin géométrique suggère, à l'instar du cactus de la *Terre labourée*, un être humain:
le chasseur. Il porte le bonnet catalan traditionnel et fume la pipe. Plusieurs
flammèches qui jaillissent de sa pipe et de son arme ainsi que la flamme près
de son cœur brûlant le nimbent d'une aura de passion. La forme conique du
fusil rappelle la cheminée de la *Terre labourée*. L'araignée-feuille réapparaît
en soleil ovoïde. Le poisson est plus grand mais il lui manque toujours sa
partie charnue. Il a une tête avec une langue, des poils de barbe, une oreille
ainsi qu'un œil, un intcstin, un organe génital et une queue. Ces parties ana-
tomiques sont reliées entre elles par une ligne droite comme les autres cônes,
triangles et cercles de la composition. Pourtant, une fois la sardine identifiée,
ces différents éléments donnent plus nettement l'impression de faire partie
d'un ensemble. Mais si on cherche, par contre, à les identifier avec logique,
le tableau change: on y voit se former divers points centraux qui sont moins
le produit de la composition elle-même que celui de l'entendement du regar-
deur. Au Museum of Modern Art de New York, le catalogue d'exposition de
la collection permanente donne la clef permettant d'identifier chaque détail
du *Chasseur*. Miró a lui-même fourni l'explication du tableau à James Thrall
Soby en 1959, puis encore une fois à William Rubin en 1973. Le spectateur
peut aussi bien lire cette toile comme une bande dessinée ou comme une

toile de Breughel, ou bien encore comme les deux à la fois. Cela dépend de ses références personnelles. Le tableau contient en effet des éléments de chaque. Comme une étude comparée de la *Terre labourée* et du *Chasseur* le montre, Miró répète et ordonne ses formes tout en changeant leur signification. Mais au-delà de toute compréhension anecdotique, ce qui importe, c'est l'évolution formelle de Miró. Il s'est engagé plus avant dans la voié de Duchamp

credo de toute une génération d'architectes et de peintres qui visaient la clarté et l'effet. Miró suit cette tendance et épure tellement son tableau *Le chasseur* qu'il ne reste plus que les détails les plus significatifs. Une fois encore, il recherche l'équilibre et l'action combinée des différentes parties. Et elles flottent si librement sur le fond plat qu'elles ont l'air d'un mobile d'Alexander Calder, son ami qui devait tant en construire des années après.

Le fond des toiles de Miró est devenu soit mince et transparent, soit lisse et opaque. Il a renoncé à essayer de montrer un espace réel ou des choses réelles et s'inspire directement de la nature elle-même. Comment montrer le soleil briller sur un ciel bleu et se refléter sur les vagues? En peignant le ciel et la mer d'un jaune chaud et lumineux. Aussi a-t-il peint le fond, par un léger frottis ou au chiffon, de jaune et d'ocre d'une couche si mince qu'elle leur fait prendre des tons de pastel. Dans le *Chasseur* comme dans la *Terre labourée*, la moitié supérieure et la moitié inférieure se ressemblent tellement en couleur et en intensité que les toiles paraissent à peine divisées en ciel et terre. La lumière envahit et aplatit le paysage sur lequel se détache chaque objet. Miró a enfin atteint ce qu'il cherchait déjà en 1920 lorsqu'il écrivait: «Je travaille très dur; m'approche d'un art de concept, prenant la

Etude pour: *Paysage catalan,* 1923/24

Paysage catalan (Le chasseur), 1923/24
Le monde se réduit à quelques signes. Seule la pipe permet encore de reconnaître le chasseur; le reste n'est plus que lignes.

«Comment je trouvais toutes mes idées de tableaux? Eh bien, je rentrais le soir, tard, à mon atelier de la rue Blomet et allais me coucher, quelquefois sans avoir dîné. J'avais des sensations que je notais dans mon carnet. Je voyais apparaître des formes au plafond…»
Joan Miró

Le carnaval d'Arlequin, 1924/25
La conquête surréaliste de l'inconscient commence à influencer Miró. Les rêves gravés dans la mémoire constituent la source d'inspiration de ce tableau.

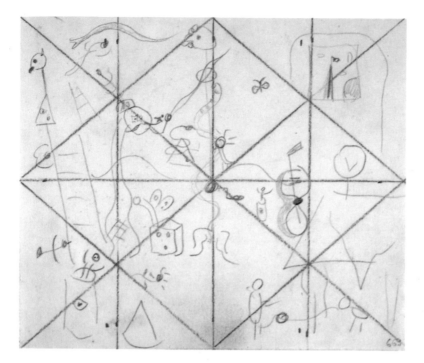

Etude pour: *Le carnaval d'Arlequin,* 1924/25

Ces deux études sont la preuve que les peintures de Miró, bien qu'agrémentées d'éléments associatifs ou fortuits, n'étaient pas le résultat d'un geste automatique.

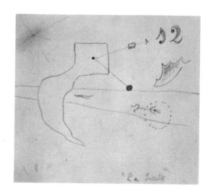

Etude pour: *La sieste,* 1925

réalité comme point de départ, jamais comme aboutissement.»[38] En 1924, l'année où André Breton publia le premier manifeste surréaliste, Miró peignit plusieurs toiles de la même veine. L'une d'elles est considérée comme l'œuvre majeure de cette période. Elle fut peinte en 1924/25, sur format réduit, et s'intitule *Le carnaval d'Arlequin* (repr. p. 40/41). Miró l'accompagna, d'ailleurs, d'un texte poétique qui ne fut publié qu'en 1939 dans la revue «Verve». Il continue d'ordonner sur tout un espace clos des poids et des contrepoids qui prennent ici l'apparence de petites créatures drôles et fantastiques en train de célébrer un carnaval. Un guitariste mécanique joue de la musique pendant que les autres sont occupés à des jeux. Les figures commencent à être connues: un diable jaillit d'un tronc, un poisson est posé sur une table; d'autres aussi sont là: l'échelle, la flamme, les étoiles, les feuilles, les cônes, les cercles, les disques et les lignes. L'échelle a gagné en importance depuis son entrée dans le poulailler de *La ferme* (repr. p. 30). Elle offre ainsi à Miró la possibilité d'utiliser des diagonales qui se rejoignent tout en se prêtant à des associations poétiques. Un détail du tableau ne semble pas être fantastique ou imaginaire comme on qualifie généralement les peintures de Miró. Le moisi et les lézardes des murs symbolisent le délabrement. Miró, qui connaissait très certainement le fameux conseil de Leonard de Vinci de prendre les irrégularités d'un mur, le dessin du marbre, les nuages ou les ombres comme point de départ d'un tableau, commença à prêter plus attention à ces formes fortuites. A ce moment-là d'ailleurs, de telles sources d'inspiration étaient l'objet de discussions dans les milieux artistiques que fréquentait Miró.

En peinture, les caprices du hasard pouvaient être transformés en choses. Miró se mit à couvrir librement ses toiles avec de la couleur puis à examiner cet espace vide et plat, peut-être aussi légèrement transparent, pour le peupler de toutes les créatures qu'il lui inspirait. Ceci explique pourquoi les

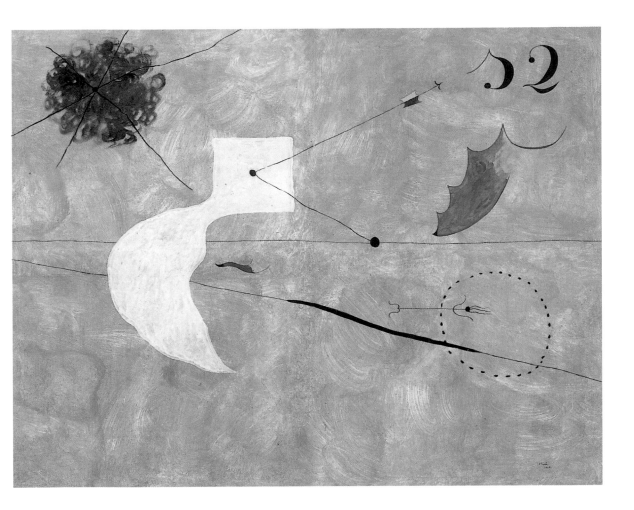

La sieste, 1925
La reproduction du monde perd de l'importance. La structure des choses – forme, couleur et ligne – domine maintenant.

murs moisis sont un élément explicite du *Carnaval*: ils représentent, en effet, l'un des points de départ du peintre, une source d'inspiration essentielle qui lui ont permis de donner naissance à des ateliers entiers de figures extraordinaires. Les formes qui sont placées dans la partie médiane du mur, au dessus des notes de musique, rappellent déjà celles de feuilles, de sarments et de flammes. Mais rien de moins sûr que ses tableaux soient nés d'un geste automatique. Miró a souvent fait des dessins préparatoires qui comportaient des notes explicatives sur les couleurs, les formats et les titres. Vers 1924, Miró commença par mettre ses dessins au carreau puis à les reproduire carreau par carreau sur la toile plus grande. (On utiliserait probablement un projecteur aujourd'hui.) Miró, en dépit de son imagination romantique, était un planificateur circonspect et méticuleux, si bien que ses œuvres existaient à l'état d'esquisses dans son esprit et sur le papier bien avant de se retrouver sur la toile. Il raconta un jour: «Comment je trouvais toutes mes idées de tableaux? Eh bien, je rentrais le soir tard à mon atelier de la rue Blomet et allais me coucher, quelquefois sans avoir dîné. J'avais des sensations que je notais dans un carnet. Je voyais apparaître des formes au plafond...»[39]

Allongé, la faim au ventre: sommeil agité de rêves gravés dans la mémoire. La conquête de l'inconscient par le Surréalisme commençait à in-

«Je travaille très dur; m'approche d'un art de concept prenant la réalité comme point de départ, jamais comme aboutissement.»
Joan Miró

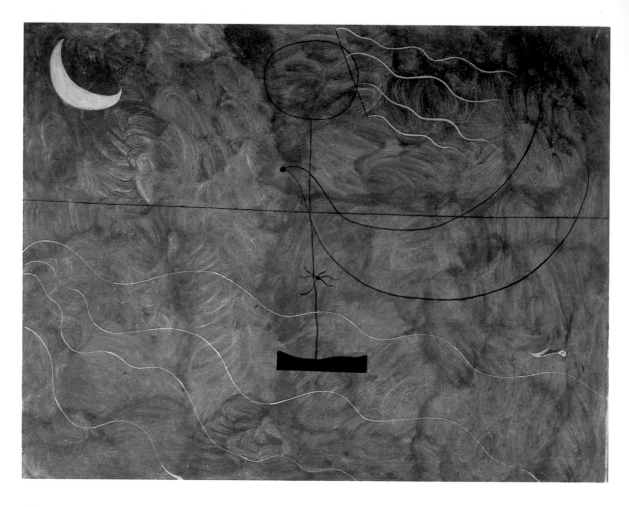

Baigneuse, 1925
Sur ce fond bleu profond évoquant la mer, la
ligne acquiert une fonction toute particulière:
elle n'est plus le contour d'une forme figée,
elle est le mouvement qui guide le regard tout
au long du tableau.

fluencer Miró. Il a souvent raconté qu'il travaillait sous l'effet d'hallucinations dues à la faim. Si ceci prouve qu'il avait peu d'argent pour manger, il
semble toutefois en avoir eu toujours assez pour acheter de la couleur, du ci-
rage et du savon ou pour ses trajets entre Paris et l'Espagne. Sa pauvreté
n'était peut-être pas faite pour lui déplaire, étant donné que les intellectuels
et artistes qu'il fréquentait s'adonnaient à toutes sortes d'excès dans le but
d'atteindre la voix primaire qu'ils imaginaient au tréfonds d'eux-mêmes.
Comparées à l'usage de drogues comme l'éther, la cocaïne, l'alcool, la mor-
phine ou aux excès sexuels, les hallucinations de Miró provoquées par la
faim faisaient presque figure de jeûne de moine. Il était, en effet, d'un esprit
trop profond pour détruire son propre corps, vaisseau de son esprit. Les références constantes aux organes sensoriels ou sexuels qui se trouvent dans ses
tableaux montrent combien il savourait son sens de la nature. De Montroig,
il écrit: «Pendant mon temps libre, je mène une existence primitive. Je fais
des exercices plus ou moins nu, je cours comme un fou au soleil et saute à la
corde. Le soir, après avoir fini mon travail, je nage dans la mer. Je suis
convaincu qu'une œuvre forte et saine requiert un corps sain et vigoureux.
Je ne vois personne ici et ma chasteté est absolue.»[40]

A l'automne 1924, Miró fit, par l'intermédiaire de son voisin André
Masson, la connaissance d'André Breton, de Paul Eluard et de Louis Ara-

gon. En novembre paraissait le premier Manifeste surréaliste. Ce long manifeste comportait la définition suivante: «Surréalisme, nom masculin. Automatisme psychique pur par lequel on se propose d'exprimer, soit verbalement, soit par écrit, soit de toute autre manière, le fonctionnement réel de la pensée. Dictée de la pensée, en l'absence de tout contrôle exercé par la raison, en dehors de toute préoccupation esthétique ou morale. Encycl. Philos. Le Surréalisme repose sur la croyance à la réalité supérieure de certaines formes d'association négligées jusqu'à lui, à la toute-puissance du rêve, au jeu désintéressé de la pensée…»[41]

A un certain niveau, le Surréalisme (le terme fut employé pour la première fois en 1917 par Apollinaire dans un programme de théâtre et comme soustitre) était une réaction contre les tendances géométriques et peu émotionnelles de l'art qui avaient dominé peu à peu les années vingt. Bien que se déclarant mouvement littéraire, le Manifeste comportait aussi une courte note sur les arts plastiques. Parmi les peintres cités, il y avait Paul Klee, Giorgio de Chirico, Marcel Duchamp, Francis Picabia, Man Ray, André Masson, Max Ernst ainsi que les classiques: Pablo Picasso, Henri Matisse et Georges Seurat. Malgré son refus de «préoccupations esthétiques» – peut-être désignait-il par là la beauté conventionnelle –, André Breton n'avait pas l'intention d'exclure les peintres qui utilisaient simplement un autre moyen d'expression. Miró et Masson furent vraisemblablement les premiers peintres qui osèrent se lancer dans le système d'associations libres, suivis de près par Max Ernst.

Si le sujet de la *Terre labourée* (repr. p.38) et du *Chasseur* (repr. p.39) était déjà onirique, influencé par l'inconscient, ces deux toiles restaient toutefois d'une grande construction et nécessitèrent presqu'un an de travail. Pendant l'été 1925, Miró réalisa, en quelques jours, une œuvre qui semble ne pas être maîtrisée. *La naissance du monde* fait penser à une fenêtre rayée et embuée, à cause de son fond sale sur lequel Miró a disposé des formes aux contours très fermes, dans les couleurs primaires et dans les noirs et blancs. Le titre, trouvé par un poète surréaliste, se rapporte au processus de création même et que ce processus soit identifié comme tel est important. Qu'importe

Photo – ceci est la couleur de mes rêves,
1925
Les poètes surréalistes influenceront beaucoup Miró après 1924. En insérant des mots et des phrases dans la construction de ses tableaux, Miró essaie de dépasser la peinture tout en la reliant à la poésie.

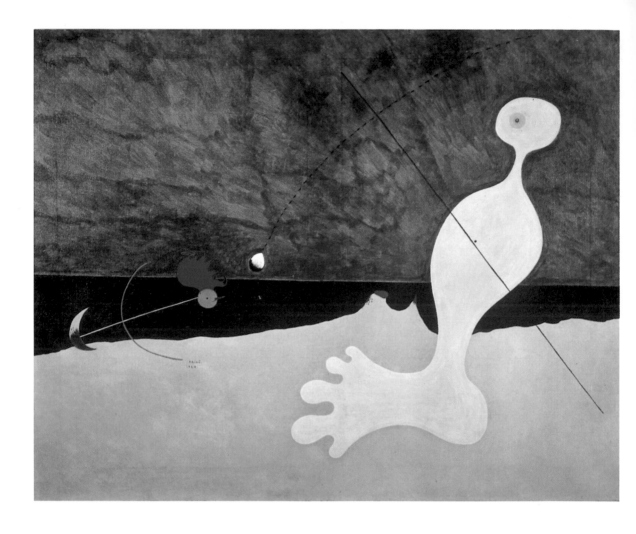

Personnage lançant une pierre à un oiseau,
1926
Puissance évocatrice de la ligne: une figure
lance une pierre à un coq. Les lignes suggèrent l'élan du bras, la trajectoire de la pierre et
l'effroi du coq. Ce sont elles qui assurent la lisibilité de l'œuvre.

ce que la création a pu créer, cette toile acquit rapidement une grande notoriété auprès de ceux qui avaient pu la voir dans l'atelier de Miró, Breton in-
clus, qui compara plus tard l'impact qu'elle avait eu sur les artistes avec celui des *Demoiselles d'Avignon* de Picasso. Le très grand format du tableau
montrait bien son caractère peu conventionnel; il faut préciser aussi que la
nouvelle manière de Miró de couvrir la toile de vastes espaces de couleurs
l'avait obligé à agrandir le format de ses œuvres et *La naissance du monde*
(environ 180 x 240 cm) restait la plus grande de toutes.

Miró utilisa certains procédés automatiques des surréalistes pour exécuter
cette œuvre. Il enduisit grossièrement une toile de colle, puis fit un frottis de
vernis noir et de bistre transparent qui se fixa sur la colle avec des effets va-
riés. Ensuite, il versa en haut de la toile un vernis ocre qui coula en ruisse-
lets. Pour finir, Miró secoua un pinceau trempé dans ce vernis ocre qui se dé-
posa en goutelettes sur la toile. Le triangle à la queue noire fut élaboré à partir d'une grande surface noire que Miró ne trouvait pas assez structurée.
(Miró: «Ce pourrait être un oiseau»). La touche rouge, les lignes bleues, le
petit homme, tous ont été ajoutés l'un après l'autre.[42] Le dessin et la peinture
automatiques, laissant le crayon ou le pinceau errer sans but, aidèrent Miró à

trouver ses motifs sans avoir à les chercher. Le peintre contrôlait moins sa composition, même si, dans une certaine mesure, il l'influençait encore par sa psychologie. Pourtant, comparée à celle qui fut à l'origine du *Chasseur* et de *La naissance du monde*, cette inspiration, venue du néant, faisait naître un tout autre genre d'images. Partir de taches, de flaques ou d'ombres fortuites pour créer un tableau était un moyen pour Miró d'échapper à son propre sens de la forme. Toute forme accidentelle était une image potentielle. Bien entendu, l'origine fortuite du tableau correspondait aussi à un résultat souhaité.

Une autre œuvre de 1925, *Peinture*, se distingue par la quasi-vacuité de son espace, dont le bleu indéfini est seulement relevé par un minuscule point blanc dans l'angle supérieur gauche de la toile et par la signature du peintre dans l'angle inférieur droit. Le poète Michel Leiris écrivit en 1929 un long texte sur l'œuvre de Miró qui révèle l'atmosphère spirituelle et intellectuelle qui régnait à l'époque. Il propose une compréhension bouddhiste de l'intégralité du monde, qui se concentre, par la suite, sur un détail infime et expressif de ce tout. La vacuité d'un tableau comme *Peinture* de 1925 offre manifestement un espace à la méditation mais il y faut un élément, souligné

Chien aboyant à la lune, 1926
Les paysages peints cette année-là montrent le talent de coloriste de Miró: les couleurs fondamentales, rouge, jaune et bleu, sont mises en valeur par les deux couleurs profondes du fond.

Jean Arp
Tête solide, 1926
Jean Arp a exercé une influence durable sur l'œuvre de Miró. Ses formes organiques aux lignes sveltes font partie du vocabulaire de toute une époque.

Joan Miró (2e en partant de la gauche) et Jean Arp (assis), 1927

avec décision, pour convaincre le spectateur qu'une perception sensorielle s'est focalisée sur un point capital. Dans une lettre à Michel Leiris, datée de 1924, Miró écrit que l'artiste japonais Hokusai «voulait rendre perceptible une ligne ou un point, c'est tout.»[43]

Miró désirait produire dans son tableau le même effet que celui du haïku japonais, poème de trois vers qui quintessencie une perception récente et brève. Dans la lettre citée plus haut, on peut lire encore: «L'éloquence est le cri d'admiration poussé par un enfant devant une fleur.» Entre 1925 et 1927, la dernière année passée rue Blomet, Miró peignit cent trente toiles (au cours des dix années précédentes, il n'en avait peint que cent environ). La plupart de ces toiles n'avaient pas de nom. Les quelques titres qu'il arrivait à Miró de donner étaient soit des trouvailles d'amis poètes soit des mots de phrases-poèmes ou des idéogrammes qu'il écrivait sur ses toiles, à la manière de Picabia. *Musique, Seine, Michel, Bataille et moi* de 1927 fait référence à des promenades sur les berges de la Seine avec Michel Leiris et Georges Bataille dont Miró partageait l'intérêt pour les orifices corporels. Une autre œuvre de 1925, *Ceci est la couleur de mes rêves* (repr. p. 45), l'une des plus poétiques de Miró, contient, elle aussi, des mots dont la calligraphie soignée et féminine fait ressortir clairement le contraste entre ce qu'un art moderne comme la photographie et un art traditionnel comme la peinture peuvent réaliser chacun.

Le temps passant, les toiles de Miró deviennent toujours plus abstraites et leurs formes toujours plus organiques. On y sent souvent rôder l'esprit de Vassili Kandinsky ou de Paul Klee (Miró découvrit l'œuvre de Klee en 1925 dans une petite galerie parisienne). Souvent, Miró peignait en même temps tous les tableaux qui se ressemblaient par le genre au lieu de les peindre l'un après l'autre. Malgré leur abstraction, il est possible de reconnaître dans ses peintures les genres traditionnels que sont le paysage, la nature morte et le portrait. Les lignes en pointillé ou continues, les lignes droites ou ondulées et chaque combinaison de celles-ci jouent un rôle important dans l'équilibre d'ensemble de ces tableaux. Elles jalonnent les compositions de différents repères, facilitant ainsi leur lisibilité. Dans *Personnage lançant une pierre à un oiseau* (repr. p. 46) de 1926, elles suggèrent l'élan du bras, la trajectoire de la pierre et la frayeur du coq, tout en formant une composition triangulaire. Les lignes sont également en accord avec les fonds travaillés en aplats, ce qui donne aux toiles de Miró des analogies avec les bandes dessinées. C'est le cas du *Paysage* (repr. p. 49), par exemple, réalisé à Montroig en 1927, qui décrit une situation sur le ton humoristique avec des moyens extrêmement simplifiés.

Miró quitta la rue Blomet en 1927 pour aller s'installer dans un atelier proche de chez Jean Arp, Max Ernst, Paul Eluard et René Magritte. Jean Arp, en particulier, exerça une grande influence sur l'art de Miró par les silhouettes souples de ses figures. Des formes organiques, douces et polies devinrent le langage pictural de l'époque par opposition au parler géométrique et anguleux des continuateurs du Cubisme. Le *Paysage* de 1927 offre deux exemples de ce langage nouveau: le lapin (pas un canard) et la fleur-ballon. Ces formes, qu'elles soient définies par de simples lignes ou par des espaces de couleurs, devaient accompagner Miró jusqu'à la fin de sa carrière artistique. Un an après, il composa, pour imiter les grands maîtres de la peinture, sa propre palette et ses formes biomorphiques dont certaines rappellent celles de Jean Arp.

En 1928, Miró, qui jusque là n'avait pas vu grand chose du monde, entreprit, à l'âge de trente-cinq ans, un voyage de deux semaines en Belgique et en Hollande. A la suite de ce voyage, il recréa plusieurs intérieurs hollandais

Paysage (Le lièvre), 1927
Miró emménage en 1927 dans un atelier, pas
loin de chez Jean Arp, Max Ernst, Paul Eluard
et René Magritte. Comme ce tableau le montre, Arp surtout l'influencera avec les lignes
souples de ses silhouettes et les formes lisses
de ses figures.

et des portraits qui paraissaient aussi schématisés et exagérés que des carica-
tures. Mais Miró, qui admirait la peinture hollandaise, n'avait pas l'intention
de se moquer d'elle (une des interprétations très libres de Miró: «L'escalier
en colimaçon dans le ‹Philosophe› de Rembrandt»)[44] et adapta les œuvres du
XVIIe siècle à des sujets de réflexion contemporains. Le contraste brutal entre les styles anciens et les styles modernes montrait à la fois l'évolution de
la peinture et le caractère obsolète de certaines choses. D'un autre côté, Miró
se sentait certainement très attiré par le symbolisme des détails de la peinture hollandaise qui devait lui rappeler le caractère anecdotique et symbolique de sa propre peinture.

Miró peignit ses tableaux de «grands maîtres», dans son atelier, à partir de
cartes postales achetées dans des musées, comme le feront plus tard les peintres du Pop art. Mais il sut aussi se servir d'autres modèles imprimés. Pour
un tableau de 1929, *La Reine Louise de Prusse* (repr. p.52), par exemple, il
utilisa à la fois une annonce publicitaire espagnole pour un moteur diesel allemand et la reproduction d'un autre tableau.[45]

Miró avait gardé l'annonce publicitaire sur laquelle il écrivit de sa main
«Pour la Reine». La forme du moteur diesel était semblable à une figure féminine très droite avec une poitrine proéminente, une longue robe et une
toute petite tête. Le peintre a placé la reine sur une toile vibrante de couleurs
contrastées qui donnent à l'espace clos du tableau une impression de nudité
et de profondeur inhabituelle. Il y a probablement une explication à cela. La
reine emplit de son corps cet espace vide comme la sculpture féminine de
Georg Kolbe occupe le Pavillon de Mies van der Rohe, bâti la même année

Intérieur hollandais I, 1928

Hendrick Martensz Sorgh
Le joueur de luth, 1661

Lors d'un voyage en Hollande, Miró, en visitant les musées d'Amsterdam, est fasciné par les maîtres du XVIIe siècle. Il retrouve dans leurs œuvres cet amour du détail qui l'avait tant préoccupé. Il ramène à Paris plusieurs cartes postales et s'en sert commes modèles pour la série des *Intérieurs hollandais* de 1928. *Intérieur I* prend appui sur *Le joueur de luth* de Hendrick Martensz Sorgh et *Intérieur II* sur *La leçon de danse du chat* de Jan Steen.
A première vue, les deux tableaux de Miró n'ont rien à voir avec ceux du XVIIe siècle. En regardant de plus près, on se rend compte toutefois qu'à chacun des motifs des *Intérieurs hollandais* correspond le même dans les originaux. Miró s'efforce de donner à chaque élément une portée fantastique, comme on peut le constater en voyant les études et les dessins préparatoires. Mais ce processus de

transformation implique aussi une miniaturisation ou un agrandissement des motifs: la fenêtre et la chaise d'*Intérieur II* sont plus petites que dans l'original, alors que la tête du personnage à gauche a quintuplé de volume. La couleur a pris, elle aussi, des libertés par rapport aux modèles.
Intérieur hollandais I et *Intérieur hollandais II* présentent une nouvelle version de tableaux anciens dans un langage pictural moderne.

Intérieur hollandais II, 1928

Jan Steen
La leçon de danse du chat

Etudes pour:
Intérieur hollandais II, 1928

51

La Reine Louise de Prusse, 1929
Le point de départ de cette toile est une publicité espagnole pour un moteur diesel allemand.

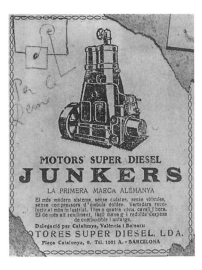

Esquisse de Miró sur une annonce publicitaire, 1929

à Barcelone (Miró se rendit dans sa ville natale en février et en septembre 1929). La composition de Miró ressemble beaucoup à celle de la phototographie la plus connue de cette sculpture, penchée au-dessus de l'eau dans la cour du pavillon de Mies van der Rohe. Même le mouvement circulaire des bras de la statue semble se répéter dans les formes rondes et opulentes de la reine. Miró, sans le vouloir, mû par une sorte d'intuition, a relié dans ce tableau les contradictions de son époque: le temple de l'architecture abstraite du Style International qu'Hitler aurait interdite comme dégénérée et le genre

Etudes pour:
La Reine Louise de Prusse, 1929

de sculpture réaliste que les nazis encourageaient. Même si le moteur diesel n'est plus discernable dans la Reine de Prusse, Miró s'en servit dans un sens dadaïste et lui donna ainsi un aspect de sombre martialité. Du contraste puissant des couleurs et de la figure qui paraît flotter dans l'air, sourd une tension indéfinissable qui fait de cette toile l'une des plus fortes de Miró.

Au cours des années 1928 et 1929, Miró peignit des portraits imaginaires, s'inspirant de plusieurs portraits féminins de peintres anciens, pour lesquels il utilisa des sources d'inspiration bidimensionnelles. Mais, dans la vie, il n'avait d'yeux peut-être que pour une seule femme. Cette femme était Pilar Juncosa qu'il épousa en octobre 1929 à Palma de Majorque. Neuf mois plus tard, en juin 1930, naissait son unique enfant, une fille, qu'il appela Dolores, du nom de sa mère et de sa sœur. En août de la même année, la dictature de Primo de Rivera prenait fin, pour faire place, l'année suivante, à la jeune démocratie espagnole.

Nouvelles constellations

Joan Miró à Malaga, vers 1935

Avec la proclamation de la deuxième république espagnole, la question catalane était partiellement résolue. En effet, en septembre 1932, la région adoptait un statut d'autonomie politique et administrative puis instaurait son propre gouvernement, son parlement et son administration, en partie indépendante de Madrid. C'est cette année-là aussi que Miró prit la décision de rentrer à Barcelone, décision motivée surtout par des raisons financières. Le groupe surréaliste s'était divisé et dispersé. Les désaccords et les querelles intestines avaient déjà lentement éloigné Miró des surréalistes. La vie à Paris avec une famille à nourrir était devenue difficile et chère, sans compter que sa vie sociale s'avérait être plus une distraction qu'une inspiration. Miró s'installa avec sa famille dans la maison de son enfance à Barcelone; de là, il se rendait à Montroig et à Paris occasionnellement. Le marché de l'art avait terriblement souffert de la crise économique mondiale et à partir de 1932, Pierre Loeb, le directeur de la galerie du même nom, ne fut plus en mesure d'acheter ni de vendre seul toutes les œuvres de Miró. Loeb pria Pierre Matisse, qui vivait à New York, de prendre la moitié de la production de Miró contre un salaire mensuel versé à l'artiste. Ceci semble avoir beaucoup découragé Miró qui avait déjà quarante ans et qui, malgré sa notoriété dans les cercles artistiques et intellectuels, malgré ses expositions personnelles ou au côté d'autres artistes, malgré ses nombreuses activités de lithographe, d'illustrateur de livres, de décorateur et de costumier de théâtre, ne pouvait toujours pas vivre de son art. En retournant habiter la maison maternelle (son père était mort en 1926), il améliorait quelque peu sa situation financière.

A l'instar de ses contemporains, Miró continuait d'explorer les divers moyens d'expression et d'expérimenter de multiples matériaux. Il façonnait des assemblages avec toutes sortes de matières et d'objets trouvés; il peignait, dessinait, faisait des collages sur papier, masonite, bois, papier de verre et cuivre. Il essayait d'échapper à l'expérience purement visuelle, de transcender la peinture et de la diriger vers un art plus conceptuel par une démarche systématique. Il est quasiment impossible de décrire le but qu'il s'était assigné, puisqu'il l'ignorait lui-même. Par moments, il se sentait pris d'une rage destructive envers la peinture dont il mesurait les limites. Il exécuta, au cours de l'année 1933, dans le grenier de la maison maternelle où il travaillait, une série de dix-huit tableaux à partir des collages qui lui servirent de motifs d'inspiration. Reprenant l'idée de base de *La Reine Louise de Prusse* (repr. p.52), il disposait sur une feuille de papier des vignettes découpées dans des catalogues ou des journaux, représentant des machines et des objets utilitaires. Miró gardait ces collages bien qu'ils fussent de simples études de tableaux, comparables aux dessins préparatoires (Picasso utilisait aussi les collages dans le même but). Selon Jacques Dupin, Miró choisissait exprès des objets dénués de poésie pour se forcer à travailler «à rebrousse-poil», c'est à dire à transfigurer ces objets «technoïdes» en signes et à les in-

Chiffres et constellations amoureux d'une femme, 1941
Du 21 janvier 1940 au 12 décembre 1941, Miró peint sa série des *Constellations*: 23 gouaches et peintures à l'essence sur support de papier. Une multitude d'étoiles, de soleils et de lunes envahissent l'espace en un réseau de lignes fines.

Peinture, 1933

tégrer dans son monde de figures organiques.[46] A cette époque-là, Miró s'efforça de ralentir un peu sa production et de revenir à une certaine discipline, donc à une image construite, tout en préservant sa propre richesse inventive. Peut-être qu'il était devenu méfiant envers sa production inflationniste. Sans doute le sens initial des outils et des machines se retrouvait-il dans la composition finale, même s'ils ne se présentaient plus sous leur forme d'origine. Il faudrait les imaginer comme les silhouettes floues de choses réelles qui cherchent à garder l'incognito. Miró donne l'impression de n'avoir pas voulu perdre contact avec l'univers technologique et froid et d'en avoir conservé au moins le souvenir, si ce n'est la physionomie, dans son œuvre.

Son œuvre des années trente reste lisible et accessible bien qu'elle ait été dans l'ensemble moins anecdotique, avec un langage de signes élargi et simplifié. *Peinture* (repr. p. 56), par exemple, un tableau peint en 1933, a transfiguré les objets du collage initial en petites créatures qui correspondent grossièrement par la forme, mais non par leur sens, aux illustrations d'origine. Peut-être les petits objets utilitaires étudiés ici s'apparentaient-ils aux décors et aux accessoires que Miró avait créés un an auparavant pour «Jeux d'enfants», une production des Ballets Russes (Léonide Massine l'avait engagé

Composition, 1933

Ces toiles font partie d'une série de grandes peintures inspirées directement de collages. Miró a transformé les papiers collés en des formes abstraites aux couleurs éclatantes. Ces toiles sont les plus abstraites de son œuvre.

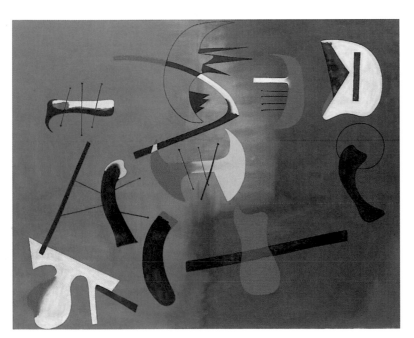

Peinture, 1933

pour réaliser les rideaux, les décors, les costumes ainsi que les accessoires des danseurs. Les ébauches influencèrent la chorégraphie.). Ces objets, placés sur une scène comme des êtres humains, se métamorphosaient en danseurs. La *Peinture* de 1933 pourrait ne pas paraître particulièrement aggressive mais Miró, qui avait fait de la boxe pendant un temps avec Ernest Hemingway, parlait de son travail d'alors, travaux pour le ballet compris, en termes de boxe: «Je traite tout exactement comme ma dernière œuvre: le rideau est le premier crochet qui atteint le public, comme les tableaux de cet été, avec la même aggressivité et la même violence. Suit une averse de swings, d'uppercuts, de directs du droit et du gauche dans l'estomac et tout au long de la représentation – un round qui dure environ vingt minutes – apparaissent des objets qui sont actionnés et démontés sur scène.»[47]

Aggression, effondrement, réforme puis restauration marquèrent ou plutôt défigurèrent les premières années de la république. Mais Miró qui menait une vie tranquille et privilégiée aux côtés de sa famille pouvait encore se permettre pendant l'hiver 1933/34 de peindre une toile, en fait un carton de tapisserie, comme *Hirondelle/Amour* (repr. p. 59), d'un format imposant et aux coloris fougueux. Son art s'appuyait sur un pouvoir de suggestion poétique accru. Giacometti, un ami intime de Miró à ce moment-là, déclara un jour: «Pour moi, Miró était synonyme de liberté – quelque chose de plus aérien, de plus libéré, de plus léger que tout ce que j'avais vu auparavant.»[48]

Miró ne pouvait cependant plus ignorer que des nuages, annonciateurs de tempêtes, s'accumulaient à l'horizon de son pays. Dès ce moment, une angoisse grandissante sourd de son œuvre et de sa correspondance. La précarité des réformes politiques en Espagne se manifesta de façon flagrante lorsque, en 1934, la guerre civile sembla sur le point d'éclater dans le pays. Une victoire électorale des conservateurs fut suivie d'une grève générale déclenchée par la gauche. Le gouvernement central de Madrid répondit par l'instauration de l'état d'urgence en Catalogne et dans les Asturies, provoquant ainsi une révolte populaire que l'armée réprima vite en Catalogne. Dans les Asturies, en revanche, trente mille mineurs résistèrent deux semaines à l'armée d'Afrique et à la légion étrangère commandée par Francisco Franco. L'insurrection matée («Prolétaires du monde entier, unissez-vous !»), une dizaine de milliers de suspects furent arrêtés. La seconde république espagnole, à peine sortie des limbes, était déjà condamnée. La responsabilité de cet effondrement était partagée par l'oligarchie qui ne voyait pas d'un bon œil la démocratie naissante et l'abolition forcée de ses privilèges et par les ouvriers et paysans déçus qui s'insurgeaient contre le manque de changement de leurs conditions de vie. L'équilibre des forces en présence ne pouvant être réalisé par des moyens pacifiques et réformateurs, la situation politique ne cessa de s'aggraver jusqu'à l'éclatement de la guerre civile en 1936.

Miró avait toujours été un fin observateur et s'il ne parla jamais ouvertement de la crise politique et institutionnelle de son pays, il exécuta pourtant une série de peintures qu'il qualifiait de «sauvages». La *Femme*, peinte en 1934, est typique de ce monde de créatures grimaçantes, à l'œil ahuri, monstrueuses, en particulier les femmes, créé au cours de cette période. A l'inverse de ses tableaux précédents qui étaient presque toujours composés de plages monochromes, la *Femme* est soulignée par des ombres et des gradations qui suggèrent à la fois le volume et la discordance. Son bassin d'un blanc grisâtre est muni d'un orifice sexuel tourné latéralement et d'un rudiment de queue; son torse est fait de taches asymétriques aux couleurs éclatantes qui se subliment en un blanc bleuté vaporeux, comme si cet être poussait un cri (le pastel, utilisé dans *Femme* et dans les autres toiles de la série, doit être à l'origine du changement qui s'est opéré dans la manière d'em-

Peinture-collage, 1934
Cette peinture sur papier de verre montre le goût de Miró pour les supports inhabituels. La souplesse des formes rappelle celle des œuvres de Jean Arp et de ses propres tableaux de l'année précédente.

Hirondelle/Amour, 1934
Miró s'est essayé aux peintures-poèmes dès le milieu des années vingt. Des lignes entrelacées relient ici figures et mots. «Hirondelle» et «Amour» semblent avoir été écrits dans le ciel bleu par un avion ou une hirondelle en vol. Les formes et les membres humains, répartis sur toute la surface du tableau, suggèrent le détachement et la franchise, l'oiseau en vol et un être humain en chute libre.

ployer les couleurs). Ses bras l'emprisonnent dans sa propre souffrance tandis que ses dents et ses cornes lui donnent quelque chose d'incontrôlé; c'est certainement un être difficile à calmer et à aider. Cette femme se trouvait d'abord toute seule sur le fond du tableau, mais celui-ci a dû sembler à Miró trop nu et désert, puisqu'il a rempli l'espace vacant de faisceaux de lignes sombres et fines. Ces ensembles de traits croisés gardent une certaine transparence tout en suggérant des ombres vibrantes autour de la figure féminine.

D'autres tableaux tels que *Homme et femme devant un tas d'excréments* (repr. p. 63), une peinture à l'huile de 1936, et le *Repas des fermiers* de 1935, représentent des êtres tournés l'un de l'autre avec, pour arrière-plan, un paysage de science fiction ou un intérieur clos sans fenêtre. Leur modelé plein de fantaisie, renforcé par des couleurs aux contrastes violents est l'expression même de réactions et d'accès d'hystérie. Miró révèle ici une perception libre et associative de la forme, comparable à celle des enfants avant qu'ils n'apprennent à dissocier de manière rationnelle. Une main peut devenir un crochet, un marteau ou un couteau; des joues sont des mâchoires inférieures, des larmes et des oreilles. Pour la plupart des historiens de l'art, l'atmosphère émotionnelle des peintures sauvages de Miró révèle les secousses qui ébranlaient l'Espagne avant la guerre civile ainsi que, chez Miró, le pres-

sentiment du séisme à venir. Pourtant, en projetant cette tension sur des figures nues, masculines ou féminines, il donne l'impression de traiter de problèmes entre hommes et femmes, au lieu de questions purement socio--politiques. Les peintures de cette période «sauvage» n'évoquent, cependant, jamais d'événements ni de thèmes en particulier, ce qui leur permet de rester à une distance raisonnable d'un art engagé et politisé.

Corde et personnages I (repr. p. 60), collage réalisé en 1935, est le prolongement des «peintures sauvages». Quatre figures occupent verticalement l'espace du tableau: un homme qui se mort la main, une corde qui se tord le cou et deux femmes aux seins nus. Miró, qui imaginait la corde serrer et blesser les figures, l'utilisa comme symbole de la violence. Man Ray raconta dans son autobiographie que cette corde était une réminiscence de la peur éprouvée par Miró quand il avait été sur le point d'être pendu dans l'atelier

Peinture, 1950
Les morceaux de corde qui sont noués en gros nœuds donnent un relief tridimensionnel au tableau. Miró semble être ainsi le précurseur des «tableaux combinés» de Robert Rauschenberg.

Nature morte au vieux soulier, 1937
Des objets de la vie quotidienne deviennent
motifs: une bouteille, du pain, une pomme
(plantée d'une fourchette) et le fameux soulier. Les couleurs incandescentes transforment
ces objets en vision apocalyptique.

«La guerre civile signifie bombardement,
mort, commandos d'exécution; je voulais retenir, de quelque manière que ce soit, cette époque si dramatique et si triste. Je dois pourtant
avouer que je n'étais pas conscient alors de
peindre mon Guernica.»
Joan Miró

de Max Ernst. Jacques Dupin, par contre, prétend que la corde représente un
outil dont se sert le paysan pour haler et attacher. Quelles que soient les interprétations, la texture linéaire de la corde s'intègre parfaitement dans l'œuvre
de Miró. Les lignes de Miró semblent tracées à partir de ficelles qu'on aurait
laissé tomber sur une surface, puis auxquelles on aurait donné une forme.
Miró n'a jamais dit avoir procédé ainsi mais on sait que Gaudí construisait
ses maquettes avec de la ficelle et du fil métallique. Il est clair que la flexibi-
lité du matériau corde est étroitement liée à la fluidité de la ligne. La grosse
corde enroulée de *Corde et personnages I* est vaguement anthropomorphe
avec ses torsions et ses nœuds et figure un être avec qui les autres créatures
humaines doivent entrer en correspondance. Le tableau suivant, *Corde et
personnages II*, a un format oblong mais la corde reste l'élément central de
la toile. Les petits personnages, constitués par des lignes, des estompes, des
traits et des taches, sont répartis tout autour de la corde pour créer un équilibre dans la composition. Ces tableaux inhabituels semblent être les précurseurs des «tableaux combinés» de Robert Rauschenberg.

Lorsque la guerre civile éclata en juillet 1936, Miró repartit vivre à Paris,
où sa famille vint le rejoindre un mois plus tard. Son exil en France devait se
prolonger jusqu'en 1940. Au début, il n'avait pas d'atelier ni d'appartement,
ce qui l'obligeait à loger à l'hôtel. Comme il ne pouvait peindre, il commença à écrire son journal auquel il joignit des poèmes et des textes en prose.
Voici ce que Margaret Rowell dit de ses poèmes: «Les peintures de Miró
sont celles d'un peintre: disjointes, frontales et colorées. Il est évident que

son mouvement créateur était le même en poésie qu'en peinture. On peut vraiment appeler ces images verbales des poèmes-tableaux plutôt que des tableaux-poèmes.»[49] Sa poésie a des analogies avec quelques-uns des meilleurs poèmes surréalistes comme ceux de Robert Desnos et de Benjamin Péret, par exemple, que Miró connaissait depuis la rue Blomet. Quand on lit certains de ses poèmes, qui sont écrits en français et souvent en rimes, on est frappé par la liberté imaginative des associations objets-signes et par leur caractère sexuel ou scatologique caractéristique de la peinture de Miró.

Au début de l'année 1937, Miró eut pleinement conscience qu'il ne pourrait retourner à Barcelone avant longtemps. Il avait emménagé asssez vite dans un petit appartement mais ses conditions de travail à Paris restaient tout de même si difficiles qu'il crut ne pas pouvoir achever la série de tableaux qu'il avait en projet. Il écrivait, en 1937, à Pierre Matisse: «Etant donné qu'il m'est impossible de continuer les travaux que j'ai commencés, j'ai décidé de faire quelque chose de tout à fait différent; je vais commencer à peindre des natures mortes très réalistes... Je vais essayer de faire ressortir la réalité profonde et poétique des choses mais je ne peux pas dire si je réussirai comme je le désire. Nous vivons un drame terrible, tout ce qui arrive en Espagne est terrifiant à un point que vous ne pourriez imaginer... Tous mes amis me conseillent de rester en France. Si ce n'était pas pour ma femme et mon enfant, je retournerais en Espagne.»[50]

Miró s'attela, au cours de cette période, à une nature morte qu'il considérera plus tard comme l'une de ses œuvres majeures. Cette toile représente une table, sur laquelle sont disposés une bouteille de gin enveloppée, une grosse pomme plantée d'une fourchette, une croûte de pain noir et un vieux soulier. Miró mit cinq mois pour la peindre. Il n'avait pas d'atelier et devait travailler dans la mezzanine de la galerie de Pierre Loeb. Il passait aussi des heures à l'Académie de la Grande Chaumière, que fréquentaient nombre d'étudiants et de jeunes artistes, pour y dessiner des nus. La *Nature morte au vieux soulier* (repr. p. 62) rappelle l'œuvre antérieure de Miró parce qu'elle scrute elle aussi intensément le réel. Pourquoi Miró a-t-il délaissé ce langage

Homme et femme devant un tas d'excréments, 1936
L'atmosphère lourde et irréelle est créée par le clair-obscur d'une très forte intensité. Le tas d'excréments, à droite, se tient droit comme une statue.

«J'avais le sentiment prémonitoire d'un désastre imminent. Juste avant la pluie, des membres douloureux et une torpeur oppressante. C'était plus une sensation physique que morale. Je pressentais qu'une catastrophe allait se produire mais je ne savais pas laquelle: c'était la guerre civile espagnole et la Seconde Guerre mondiale... Pourquoi je donnais ce titre? À l'époque, j'étais fasciné par les mots de Rembrandt: je trouve des rubis et des émeraudes dans un tas de fumier.»
Joan Miró

des signes plus individuel et plus personnel qu'il avait su donner à son œuvre depuis tant d'années? Sans devenir pour autant un peintre du réalisme social, il essayait, à ce moment-là, de décrire des objets modestes représentant des gens humbles avec une écriture picturale plus simple et plus facilement lisible. Bien sûr, ces objets n'ont rien à faire ensemble sur une table mais, réunis, ils dégagent une impression de pauvreté et de rage, de perte et d'abandon. Des noirs et des verts sombres, lourds et obsédants comme des ombres nocturnes, étouffent les objets, modelés par des teintes ardentes et pures comme des flammes. Miró écrivit qu'il était en quête d'une «réalité profonde et fascinante» et qu'il essayait de créer une œuvre qui «puisse se mesurer à un Vélasquez»[51].

1937 fut aussi l'année de l'Exposition universelle de Paris, à laquelle l'Espagne républicaine en guerre décida tardivement de participer. Son intention était de montrer ce qu'elle avait déjà réalisé et dans quel état tragique aussi

Miró travaillant sur *Le faucheur* pour l'Exposition universelle de Paris de 1937.

«Dans la lutte actuelle, je vois, du côté des fascistes, les forces dépassées par le temps, de l'autre côté, le peuple dont la puissance créatrice est en train de donner à l'Espagne un nouvel essor qui étonnera le monde.»
Joan Miró

Aidez l'Espagne, 1937
Cette affiche a été réalisée pour soutenir la
lutte des républicains espagnols. La main
n'est plus qu'un poing gigantesque: c'est la
force pure combattant les ennemis de la
liberté.

Pablo Picasso
Guernica, 1937
Ce tableau de Picasso fut peint, lui aussi, pour
le pavillon espagnol de l'Exposition universelle de Paris.

Une goutte de rosée tombant de l'aile d'un oiseau réveille Rosalie endormie à l'ombre d'une toile d'araignée, 1939
Les tableaux de ces deux pages font partie de la série des peintures sur toile de jute. Miró déploie tout son univers de créatures et de figures sur un support à la texture très brute. Sa vie était alors entièrement consacrée à son art.

elle se trouvait. Le pavillon espagnol était un cocktail réussi de propagande, d'art d'avant-garde et d'architecture, où étaient exposées des œuvres de Picasso, de Miró, de Julio González, d'Alberto Sánchez Pérez et d'Alexander Calder. Le pavillon avait été conçu par Luis Lacasa et Josep Lluis Sert. Les artistes et les responsables du projet travaillaient ensemble fébrilement pour que tout soit prêt à temps: bâtiment, photomontages documentaires, sculptures et tableaux. C'est pour ce pavillon espagnol que Picasso peignit son œuvre fameuse, *Guernica* (repr. p. 65), une évocation du premier bombardement aérien de civils sans défense. Josep Sert, l'architecte, persuada Miró de décorer un mur haut de deux étages. Le peintre, qui n'avait jamais rien réalisé d'aussi monumental, choisit de peindre un portrait de paysan catalan, tenant une faucille dans son poing tendu. *Le faucheur* (repr. p. 64) s'apparente clairement aux «peintures sauvages» et ressemble au timbre et à l'affiche (repr. p. 65) que Miró avait réalisés pour des œuvres de bienfaisance et pour soutenir la cause républicaine. Le faucheur symbolisait pour la Catalogne la perte de sa liberté au profit du centralisme bureaucratique de la Castille impérialiste au XVIIe siècle. La décoration monumentale, réalisée sur des panneaux de celotex, disparut ou fut détruite après le démontage du pavillon. Mais Miró peignit, cette année-là, au moins neuf œuvres sur celotex, l'un des matériaux de base employés dans la construction du pavillon. Qu'il n'ait rien entrepris pour sauver *Le faucheur*, alors que toutes les autres œuvres exposées ont été soit conservées soit retrouvées, est pour le moins étrange. (On imagine très bien Miró réutilisant les panneaux démontés où la moindre trace lui aurait servi de point de départ à de nouvelles compositions.) C'est la *Nature morte au vieux soulier* (repr. p.62) et non *Le faucheur* que Miró considérera plus tard comme l'équivalent de *Guernica*. Ses carnets catalans évoquent, d'ailleurs, un projet de tableau monumental et tragique, le pendant de *Guernica*, mais sans son côté mélodramatique comme précisait Miró. Ce tableau ne vit jamais le jour.

Miró peint en 1937 un *Autoportrait* qui le représente en train de «voir des étoiles». Cette peinture préfigure une série de toiles qu'il fera connaître sous le nom de *Constellations*. C'est à Varengeville-sur-Mer, en Normandie, lors d'un séjour chez Paul Nelson, architecte et mécène, que se dessina une nouvelle évolution dans le travail de Miró, grâce à la musique et à la nature.

Miró relata, en 1948, dans son entretien avec James Johnson Sweeney: «C'était l'époque où la guerre éclata. J'avais envie de fuire. Je me suis enfermé en moi-même. La nuit, la musique, les étoiles commencèrent à jouer un

L'échelle de l'évasion, 1939
L'échelle de l'évasion est un motif récurrent de l'œuvre de Miró. Peinte à la veille de la guerre mondiale, l'échelle pourrait être ici une métaphore exprimant le désir d'échapper à l'angoisse provoquée par ces années tragiques.

Le chant du rossignol à minuit et la pluie matinale, 1940

REPRODUCTION PAGE 68:
Peinture, 1943
Peu après l'éclatement du conflit mondial, Miró s'attèle à une série de peintures appelées *Constellations*, dans lesquelles il crée un cosmos ponctué d'étoiles, de lunes, de soleils et de signes divers. La couleur anime les formes par des alternances de rouge et de noir. Miró a toujours souligné combien de patience et de travail il lui avait fallu pour parvenir à un tel équilibre compositionnel.

André Breton écrit au sujet des *Constellations*: «Elles vont ensemble et se différencient comme, en chimie, les éléments de la série aromatique ou cyclique. C'est en les considérant à la fois dans leur évolution et dans leur ensemble qu'elles acquièrent nécessité et valeur, comme un membre d'une série mathématique. Et grâce à leur suite ininterrompue et exemplaire, elles donnent au mot ‹série› toute sa signification.»

Etude pour: *Constellations*, 1940

rôle important dans mon inspiration. J'ai toujours aimé la musique mais, lorsque je suis revenu à Majorque après la défaite de la France, elle remplit la fonction qu'avait eue pour moi la poésie dans les années vingt, particulièrement Bach et Mozart. Le support de mes toiles reprit lui aussi de l'importance. Dans les aquarelles, je frottais la surface du papier pour la rendre rugueuse. Quand je peignais sur cette surface inégale, au grain rugueux, apparaissaient des formes curieuses. Peut-être que mon isolement volontaire m'a incité à chercher des idées dans les matériaux que j'avais. D'abord, dans les surfaces rugueuses des toiles de jute de 1939 (repr. p. 66 et 67), puis dans les céramiques –... Après celle des toiles de jute, je commençais une série de gouaches qui furent présentées à New York, après la guerre, à la galerie de Pierre Matisse. Une conception des choses entièrement neuve. Elles étaient basées sur les reflets de l'eau. Pas naturalistes, ou objectives, il faut le préciser, mais tout de même des formes suggérées par de tels reflets. Mon objectif était d'atteindre un équilibre compositionnel. C'était un travail de longue haleine et extrêmement ardu. Je commençai sans idée préconçue. Quelques formes en appelaient d'autres pour les contrebalancer. Celles-ci, à leur tour, en réclamaient d'autres. Ça paraissait sans fin. Il me fallut un mois au moins pour réaliser chaque gouache car j'ajoutais, jour après jour, des points, des étoiles, des glacis et des taches de couleur minuscules pour arriver à la fin à un équilibre harmonieux et complexe.»[52]

Juste avant que les Allemands n'occupent la France, Miró put rejoindre son pays natal où il se savait plus en sécurité. Il se remit à ses gouaches à Montroig et à Palma. Il leur donna, en 1940, le titre de *Constellations* après qu'il eut achevé la dixième. Leur ressemblance avec des cartes stellaires ne fit que s'accentuer ensuite. Dans *Le bel oiseau déchiffrant l'inconnu au couple d'amoureux* de 1941, des entrelacs de fils reliant une multitude de points forment des créatures étranges et amusantes qui se détachent de ce réseau stellaire par leurs couleurs chantantes et brillantes. La présence de plans colorés dans les tons de vert, de jaune, de rouge et de bleu n'empêche pas le graphisme noir de dominer la composition. Elles flottent sur une surface claire recouverte de vernis, puis griffée pour en faire ressortir la texture. Miró emploie le procédé surréaliste qui consiste à laisser l'image venir à lui pendant qu'il travaille le fond changeant de la toile. Le déplacement de la surface de l'eau au ciel constellé d'étoiles, suggéré par Miró, est particulièrement intéressant. Peut-être lisait-il à nouveau Walt Whitman qui, dans son poème «Bivouac sur le versant d'une montagne», met en contraste la vue qu'offrent les soldats dans leur campement nocturne avec le ciel au-dessus d'eux: «Et le ciel au-dessus de tout – le ciel! Loin, loin, hors de portée, constellé d'étoiles, s'évadant, les éternelles étoiles.»

Les 23 gouaches de Miró étaient les premières toiles européennes à être exposées à New York depuis un certain temps. Bien que de format réduit et peintes sur papier (elles furent transportées en fraude dans une valise diplomatique), elles firent grande impression sur le public de l'exposition. André Breton, dans sa préface du catalogue, mit l'accent sur la quête de la pureté indéfectible chez Miró, tout au long des années douloureuses de la guerre. Le monde artistique semblait vouloir se montrer reconnaissant envers quelqu'un qui avait réussi à conserver la flamme de l'idéal.

Les *Constellations* auront une influence profonde sur la «New York School of Painting» et sur l'œuvre de Arshile Gorky et de Jackson Pollock. La manière de Miró d'ordonner les formes sur tout l'espace du tableau, la variété des éléments récurrents et l'application des principes du dessin automatique furent bientôt repris par les peintres américains. Ce qui en résulta devait réintégrer plus tard l'œuvre de Miró.

Femmes, oiseaux, étoiles, 1942

Constellation:
Le réveil au petit jour, 1941

Constellation: L'étoile matinale, 1940

REPRODUCTION PAGE 73 EN HAUT:
La course de taureaux, 1945

REPRODUCTION PAGE 73 EN BAS:
Femmes et oiseaux au lever du soleil, 1946

L'impact des *Constellations* n'aurait peut-être pas été aussi grand si l'exposition des œuvres de Miró au Museum of Modern Art en 1941 n'avait pas eu autant de succès. Elle avait pu se tenir, malgré la guerre, grâce aux prêts venant de collections privées. Le catalogue mentionnait des tableaux, des dessins, des collages, des objets, des tapis, une tapisserie murale et des eaux-fortes. Il évoquait aussi les réalisations de Miró pour le théâtre et ses illustrations de livres, son œuvre graphique, ses expositions et une bibliographie des articles de presse parus sur lui. Même s'il ne put être présent à New York, Miró était tout de même «arrivé».

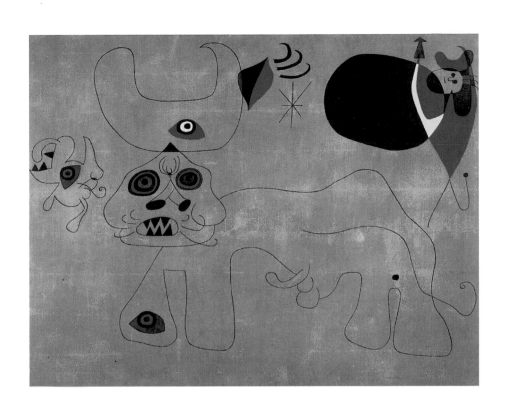

Femme devant le soleil, 1950

Les échelles en roue de feu traversent l'azur, 1953

Le rêve d'un grand atelier

Pendant la guerre, Miró avait travaillé surtout sur support de papier parce que celui-ci se transportait mieux que les toiles et que les autres matériaux s'étaient faits rares. Il avait continué de noter dans son carnet, pour ne pas les oublier, toutes les idées créatrices qui lui venaient à l'esprit. Il y en avait des centaines. Beaucoup de ces idées excluaient l'emploi de matériaux conventionnels, comme si la pénurie obligeait Miró à expérimenter ou renforçait sa curiosité envers les matières grossières. Il se mit à travailler, à côté de ses tableaux bidimensionnels, la céramique («Ai pris une cruche en terre de Felanitx et mis dessus des petits tas avec une poche à douille»), le fer rouge («Brûle des motifs dans le pelage de moutons ou de mulets, comme les Indiens le faisaient»), les constructions («Que mes sculptures puissent être confondues avec des éléments de la nature, avec des arbres, des rochers, des racines, des montagnes, des plantes, des fleurs»).[53] De nombreuses idées notées dans son carnet sont ouvertes sur le futur et anticipent certaines évolutions du Pop art et du Land art. Mais les années d'incertitude avaient rendu Miró inquiet; il se demandait s'il serait capable d'accomplir assez de choses pendant sa vie. Il avait besoin de plus de place pour travailler et d'un domicile permanent aussi. Miró avait fait part, dès 1938, dans la revue «XXe Siècle», de son désir d'avoir un grand atelier:

«Mon rêve, si je peux m'établir quelque part, serait d'avoir un grand atelier, pas tellement à cause de la lumière ni de l'aurore boréale etc… dont je me moque, mais pour avoir assez de place pour de nombreuses toiles parce que plus je travaille, plus j'ai envie de travailler. J'aimerais m'essayer à la céramique, à la sculpture, à l'eau-forte, avoir une presse d'imprimerie et essayer ainsi de dépasser les limites de la peinture qui, à mon avis, a des objectifs restreints. J'aimerais, par ma peinture, me rapprocher des masses auxquelles je n'ai jamais cessé de penser.»[54]

Au cours des trente dernières années de sa vie, Miró devait réaliser ce rêve quelque peu contradictoire qui était de dépasser la peinture tout en se servant d'elle pour se rapprocher des masses populaires. Si la peinture restait son mode d'expression privilégié, il la délaissait pour la céramique, la lithographie et la sculpture pendant des périodes de plus en plus longues. A la fin de la guerre, Miró n'avait rien d'un survivant de tragédie, vieillissant et amer, mais était prêt, au contraire, à expérimenter et à élargir son champ d'action. Ce n'est pas surprenant que la fin de la guerre ait coïncidé avec un tournant de sa carrière. Il décida à l'âge de 52 ans de tirer enfin profit de son travail sur le plan pécuniaire. Il écrivit aux directeurs des galeries qui l'exposaient des lettres d'affaires polies, qui ont le mérite de la clarté: «Ce que je ne peux accepter plus longtemps, c'est de mener la vie médiocre d'un modeste petit gentleman.»[55] Miró pensait qu'il était temps d'exposer et de commercialiser son art avec plus de succès encore. Il avait besoin d'argent pour acquérir enfin ce grand atelier dont il rêvait et qui lui permettrait, grâce à des conditions de travail appropriées, de faire connaître enfin son art auprès du grand public.

C'est en 1947 que Miró se rendit pour la première fois aux Etats-Unis. Pierre Matisse lui avait obtenu une commande murale pour le Terrace Plaza

Paysan catalan au clair de la lune, 1968
Cette œuvre de la fin de sa vie se caractérise par une plus grande sobriété de l'harmonie et par l'usage renforcé du noir.

L'atelier de Miró, construit par l'architecte Josep Lluis Sert, a été transformé en musée en décembre 1992. Tout est encore en place dans la grande pièce inondée de lumière, comme si l'artiste allait revenir.

REPRODUCTION PAGE 76 EN BAS:
Joan Miró dans son atelier en 1960.

Miró travaillant au **Mur de la lune** destiné au bâtiment de l'Unesco à Paris, vers 1955.

Hotel à Cincinnati. Mais c'est d'abord à New York que Miró travailla neuf mois durant et que la peinture murale d'une superficie de 3 mètres sur 10 fut présentée, avant d'être transportée à Cincinnati en vue de son installation définitive. Miró rencontrait souvent ses amis artistes qui vivaient en exil à New York, en particulier Marcel Duchamp avec qui il s'entendait bien. Miró travaillait à sa peinture murale dans l'atelier d'un artiste américain du nom de Carl Holty. Celui-ci écrivit plus tard un article sur la création artistique, paru dans le «Bulletin of the Atomic Scientists», où il évoque le travail mural de Miró. Très déçu au départ par leur rencontre, il considéra ensuite la question avec plus de recul.

«Lorsque la peinture fut presque achevée et que nous la regardâmes, tard un après-midi (Miró ne travaillait plus dès la tombée de la nuit car il était très ponctuel et pointilleux sur l'organisation de ses journées de travail), j'attirai son attention sur certaines images fortuites qui surgissent inévitablement dans notre esprit quand on se trouve devant un ensemble visuel complexe. Ceci n'intéressait pas Miró qui se montrait peu disposé à étudier les modifications apportées par la lumière déclinante du jour, quand les bleus éclaircissent, que les rouges et les jaunes s'assombrissent et qu'un tableau semble être devenu le négatif de lui-même. J'étais surpris de le voir indifférent, étant donné qu'il m'avait raconté avoir fait beaucoup de recherches sur les effets visuels. Mais tout cela n'était rien. Le pire se produisit lorsque je lui demandais en montrant une grande forme blanche dans la partie gauche du tableau: ‹C'est un poisson, n'est-ce pas?› et qu'il me répondit un peu énervé: ‹Pour moi, c'est une femme.› Comment deux peintres, qui peignaient des tableaux non figuratifs depuis plus de vingt ans (à une époque, je fus même très influencé par la peinture de Miró), pouvaient-ils avoir des opinions si différentes sur un point si important? Et comment pouvait-on morigéner le profane pour son étroitesse d'esprit?

Je trouvai une porte de sortie en lui demandant s'il était peut-être plus intéressé par l'usage ornemental ou décoratif de son langage ‹privé› mais il répondit par la négative, puis ajouta que seule l'image l'intéressait, pas la décoration ni l'ornement. Mais quelle image? La composition de ses tableaux n'était pas d'une grande rigidité. Y ajouter de nouveaux éléments ne devait pas apporter de changement profond au tableau.

Un après-midi, comme il observait des enfants en train de jouer au cerf-volant sur le toit de l'atelier, Miró fut si fasciné par les ondulations et les mouvements serpentins de la queue du cerf-volant qu'il incorpora tout de suite ces lignes longues et rythmées dans son tableau, qui était pourtant équilibré et déjà en partie peint. La toile ayant un format oblong, il dessina les lignes horizontalement dans l'angle droit, la seule place encore libre du tableau. Ces lignes, tracées de gauche à droite, n'étaient évidemment pas une interprétation fidèle des mouvements verticaux du cerf-volant dans son envol et ses cabrioles.

Peut-être la réponse à ce qui semblait si énigmatique – femme ou poisson? – fut-elle donnée par un autre artiste, qui vint voir la toile lorsqu'elle fut finie. Le visiteur, qui était peut-être arrivé avec des préjugés contre Miró, était pourtant très ému en disant: ‹Il n'est pas vrai que ce soit un décorateur. Il n'a absolument rien du décoratif, sa puissance créatrice émane d'un esprit de richesse visuelle et d'opulence imaginative.› C'est certainement ce qui avait permis à Miró de créer cette œuvre si importante. Sa peinture était celle de tout ce qui est riche et abondant, chantant la couleur, la fantaisie et l'équilibre. Le reste, poisson ou femme, n'était qu'une opinion personnelle.»[56]

La capacité du spectateur à réagir immédiatement à la sensualité des toiles de Miró est liée au plaisir qu'il éprouve en les voyant (bien entendu, ce plaisir

Miró exécuta, en 1968, une céramique murale et un labyrinthe de sculptures pour la Fondation Maeght à Saint-Paul-de-Vence.

«J'ai été conquis par la splendeur de la céramique: c'est comme des étincelles. Et puis, la lutte avec les éléments: la terre, le feu... Je suis un lutteur de nature. Quand on fait de la céramique, il faut pouvoir dompter le feu.»
Joan Miró

dépend aussi de la possibilité de regarder les originaux au lieu des reproductions). Celui qui s'évertue à comprendre une peinture de Miró n'arrivera peut-être pas à l'aimer vraiment. D'un autre côté, il est peut-être difficile pour quelqu'un, qui connaît bien ses œuvres, d'être fasciné par chaque tableau d'un peintre dont le répertoire des formes se répète. Le critique d'art Clement Greenberg, qui avait fait la connaissance de Miró pendant son séjour new-yorkais, exprimait des réserves sur son œuvre qu'il trouvait dépréciée par son trop-plein d'éloquence décorative. Greenberg savait cependant que Miró avait donné au monde une magistrale leçon de couleurs et classa l'œuvre de Miró dans la catégorie «art grotesque» tel qu'il avait été défini, au XIXe siècle, par le théoricien de l'art John Ruskin: «composé de deux éléments, l'un ridicule, l'autre effrayant.» Mais Greenberg va plus loin et range l'art de Miró dans le grotesque amusant, le trouvant somme toute plus humoristique qu'effrayant.[57] Certains intellectuels, après un premier mouvement favorable à Miró, avaient tout de même du mal à se faire à sa verve ludique et inventive qui ne tarissait pas. Les artistes américains, en revanche, réagirent vite à ses techniques innovatives et il semble bien que son influence sur la peinture américaine de l'après-guerre ait été plus grande que celle de Picasso.[58]

Plus tard, le Stanhope Hotel de New York, reprit quelques motifs d'une toile de Miró pour en décorer des verres, des cendriers et des dessous de verre. La sobriété des dessins, les couleurs éclatantes et les lignes noires

Le mur du soleil, 1955–58
Au début des années 50, Miró s'était lancé
dans la céramique, aidé par son ami Artigas.
En 1955, on lui demanda de décorer deux
murs extérieurs du nouveau bâtiment de
l'Unesco à Paris. Il choisit des couleurs
éclatantes pour faire contraste avec l'architecture de béton du bâtiment. Un mur (voir ci-
dessus) fut dédié au soleil, l'autre à la lune
(voir reproduction page 78).

«Il me vint alors l'idée de mettre un énorme disque rouge vif pour faire contraste avec les grands murs de béton. Sur le mur plus petit devait lui correspondre un croissant de lune bleu qui s'imposait en raison de la surface plus limitée et plus intime. Je voulais souligner les deux formes par des couleurs fortes et des cannelures plastiques ... Je cherchais une expression forte pour le grand mur et une plus poétique pour le petit.»
Joan Miró

Sa Majesté, 1967/68

s'avéraient idéales pour ce genre de reproduction. Ce que certains louent comme une force expressive directe, que d'autres honnissent comme un goût de la décoration, prédestinait Miró à devenir le peintre idéal de l'espace public et il reçut en effet diverses commandes murales, peintures ou céramiques. Pendant la guerre, Miró avait commencé à travailler avec son vieil ami, Josep Llorens Artigas, qu'il avait connu à l'école Galí et qui était devenu maître céramiste. Ce dernier pouvait lui montrer comment obtenir les couleurs et les formes recherchées sur un support que Miró connaissait mal. Grâce à leur travail d'équipe remarquablement organisé (Miró associait à son effort créateur tous les techniciens qui l'assistaient: imprimeurs, tisserands, fondeurs), il profitait beaucoup du savoir-faire artisanal d'Artigas pour se former dans ce nouveau domaine. L'argile avait une importance toute particulière pour lui parce qu'elle était employée dans l'art populaire, dans la fabrication des petites flûtes majorquines, par exemple, dont les formes insolites ont inspiré les créatures peintes et sculptées des œuvres de Miró. Importante aussi parce que c'était de la terre, un matériau malaxable utilisé depuis l'aube des temps. Il était en train de travailler avec Artigas sur une série de céramiques lorsqu'on lui commanda deux céramiques murales extérieures pour le bâtiment de l'Unesco à Paris (repr. p.80/81). Miró vit, dans cette commande, le moyen d'échapper à un travail plus conventionnel et d'insérer la céramique dans un art de conception monumentale. Il demanda à Artigas et à son fils de collaborer au projet, après avoir choisi comme thème celui du soleil et de la lune. Il s'était inspiré des peintures rupestres d'Altamira, d'un mur rugueux d'une église romane de Catalogne et du Parc Güell de Barcelone, conçu par Gaudí et dont les mosaïques représentent des galaxies solaires et lunaires.

Il fallut des centaines de carreaux s'ajustant les uns aux autres pour couvrir les murs d'une hauteur de 3 mètres et d'une longueur de 15 et 7,5 mètres. Une première fournée de carreaux aux formes géométriques fut ratée, ce que Miró commente ainsi: «Cette malchance nous coûta 4000 kg de terre, 250 kg de vernis et 10 tonnes de bois, sans parler du travail ni du temps perdus.» Le deuxième essai fut fait avec des carreaux plus irréguliers et fut couronné de succès. Miró avait enfin le fond sur lequel il allait pouvoir peindre son œuvre. Il répartit les couleurs en «aveugle» ou presque, puisqu'elles ne se révélèrent qu'après cuisson. Pour garder toute la dynamique expressive de certaines formes de la composition, il fallait les peindre d'un seul geste, ce que Miró faisait avec un balai de branches de palmier. Voici ce qu'il écrivait en juin/juillet 1958: «Artigas retint son soufffle lorsqu'il me vit prendre le balai et dessiner des motifs de 5 ou 6 mètres de long, au risque de détruire des mois de travail. La dernière cuisson eut lieu le 29 mai 1958. Trente-quatre l'avaient précédée. On avait eu besoin de 25 tonnes de bois, de 4000 kg de terre glaise, de 200 kg de vernis et de 30 kg de couleurs. Jusqu'alors, on n'avait vu notre travail que fragmenté, étalé par terre, et on n'avait pas eu l'occasion de prendre du recul pour le regarder. C'est pourquoi nous sommes si anxieux et impatients de voir le petit mur et le grand mur s'élever dans l'espace et la lumière auxquels ils étaient destinés.»[59]

Ces deux murs, *Le mur du soleil* (repr. p.80/81) dominant et *Le mur de la lune* (repr. p.78) plus petit et plus intime, furent très bien accueillis par la critique et par le public. Les couleurs, les signes, les lignes, la lune et le soleil brillaient sur la Place de Fontenoy à Paris et interpellaient les passants, qu'ils fussent amateurs des arts ou non. Le goût de la perfection chez Miró et Artigas, la sensibilité dans les nuances, l'aspect irrégulier et la texture des murs étaient une réussite. Miró reçut, cette année-là, le Grand Prix international de la Fondation Guggenheim que le président Eisenhower lui remit en mains propres en mai 1959. Ce qui avait démarré pour Miró comme une sim-

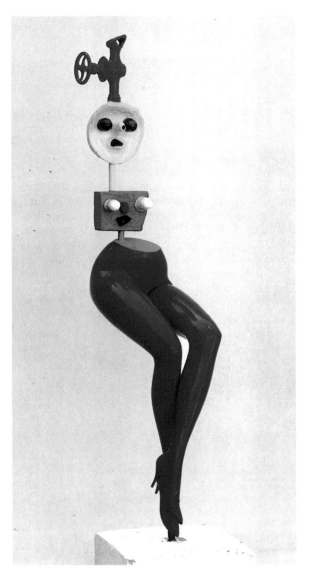

Jeune fille s'évadant, 1968

Femme et oiseau, 1967

Miró créait souvent ses sculptures à partir de
matériaux et d'objets trouvés. Il en façonnait
des assemblages qui lui servaient de modèles
pour ses fontes en bronze. Certaines sculptures de la fin des années soixante, aux couleurs rutilantes, font penser à des personnalités pop.

Les sculptures en bronze telles que la **Femme insecte** évoquent parfois l'œuvre d'un sculpteur plus âgé, Alberto Giacometti. D'autres donnent l'impression de sortir directement d'une de ses toiles.

Personnage, 1970

ple aventure expérimentale s'achevait en un succès céleste. Au cours des années cinquante, Miró se rendit acquéreur d'une maison et d'un bout de terre à Majorque, où sa famille et lui avaient passé une partie de la guerre, accueillis par des parents de sa femme. Il chargea son ami Josep Lluis Sert de lui construire le grand atelier dont il rêvait depuis longtemps. L'emménagement dans son atelier en 1956 marqua un nouveau tournant dans sa vie: il consolida ses biens, remit en question ses idées et détruit ou repeignit des toiles qui ne lui plaisaient plus. Le bel espace dont il avait rêvé lui ouvrait de nouvelles perspectives et Miró put se remettre au travail avec acharnement et discipline. Il allait en France, travaillait avec Artigas sur des projets de céramiques, se rendait à la Fondation Maeght à Saint-Paul-de-Vence ou à Barcelone pour y exécuter des séries de lithographies et d'eaux-fortes. Ces techniques avaient trouvé leur place dans l'œuvre de Miró parce qu'elles étaient moins chères que les toiles et qu'elles lui garantissaient une plus grande diffusion, en dehors du circuit habituel des musées. Il pouvait enfin toucher le grand pu-

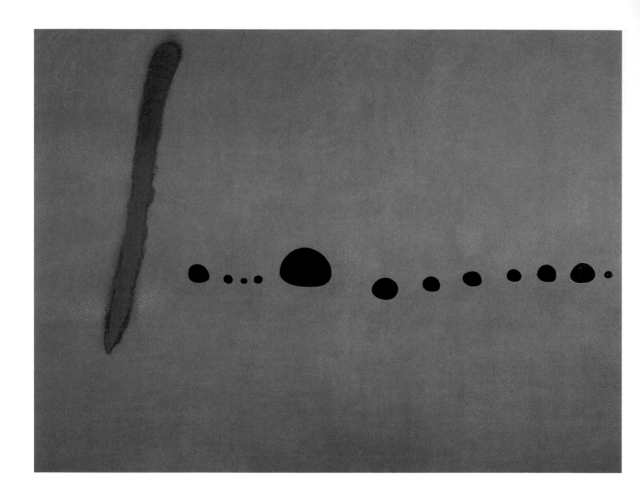

Bleu II, 1961
Ces deux tableaux font partie d'un triptyque
que Miró peignit après son second séjour aux
Etats-Unis. Il en était revenu fortement impressionné par l'expressionnisme abstrait.

blic. En artiste toujours aussi fécond, il se mit à faire des sculptures, dont certaines étaient ensuite coulées dans le bronze, dans les fonderies parisiennes
ou barcelonaises. L'art plastique semble avoir fait revenir Miró vers les
«choses» qu'il aimait, vers les brins d'herbe, les insectes, les roches, les
jouets et tous les objets hétéroclites qu'il n'avait cessé d'amasser. Miró façonnait des modèles de sculptures à partir de ces matériaux récupérés, fabriqués
de main d'homme comme un chapeau trouvé sur une plage ou bien naturels
comme une petite pierre. Le fils d'Artigas fut chargé dès 1953 de transformer
ces modèles en sculptures de terre cuite, que Miró modifiait parfois. Parallèl-
lement aux céramiques, il concevait des sculptures en terre cuite qu'il faisait
ensuite convertir en bronze. D'autres œuvres étaient directement coulées
dans le bronze à partir d'objets construits avec des matériaux mêlés, puis certaines de ces figures en bronze étaient peintes. En principe, aucun socle, si-
non un tout petit, ne surélevait les sculptures par rapport au spectateur.

Les œuvres plastiques de Miró sont d'une grande variété. A la fin des années
soixante, il se lança dans une série de sculptures qu'il façonnait à partir d'objets hétéroclites et peignait dans des couleurs éclatantes. Il se dégage un tel humour de ces sculptures qu'on dirait de séduisantes personnalités pop. *Jeune
fille s'évadant* (repr. p.83) de 1968, *Femme et oiseau* (repr. p.83) de 1967 ou *Sa
Majesté* (repr. p.82) de 1967/68, par exemple, n'ont pas l'air d'être l'œuvre

Bleu III, 1961
Joan Miró s'explique sur ses œuvres: «Il est important pour moi d'arriver à un maximum d'intensité avec un minimum de moyens. D'où l'importance grandissante du vide dans mes tableaux.»

d'un homme de soixante-quinze ans. D'autres pièces comme *Femme insecte* (repr. p.85) de 1968 rappellent, par leurs surfaces rugueuses et verticales, les plastiques d'un autre vieux monsieur, Alberto Giacometti. D'autres encore, tels que *Oiseau solaire* et *Oiseau lunaire* de 1966 ou *Personnage* de 1974 donnent l'impression d'être des hommages immenses rendus à l'art majorquin, en particulier aux petites flûtes peintes à la main, appelées «siurells» que Miró collectionnait depuis les années vingt.[60] Et d'autres enfin, *Personnage* (repr. p.84) de 1970 ou *Constellation* (repr. p.85) de 1971, par exemple, semblent être sorties tout droit d'un tableau de Miró. Le Labyrinthe, le parc qu'il avait conçu et peuplé de ses sculptures pour la Fondation Maeght à Saint-Paul-de-Vence, est certainement le meilleur endroit pour voir toute la richesse de son art plastique, endroit que Miró considérait lui-même comme le plus approprié: en plein air. Il disait à ce propos: «Toute bonne sculpture devrait paraître immense en plein air. C'est pourquoi je laisse mes sculptures dehors. Le soleil, le vent, la pluie et même la poussière les améliorent. Je mets aussi souvent mes tableaux dehors pour les juger et pour voir s'ils se tiennent.»[61]

Au début des années soixante, les toiles de Miró s'épurent à nouveau et rappellent certaines œuvres de 1925, dont la quasi-monochromie n'était émaillée que de quelques formes et lignes élémentaires. Les tableaux de son triptyque *Bleu II* et *III* (repr. p.86 et 87) se caractérisent par un espace d'un

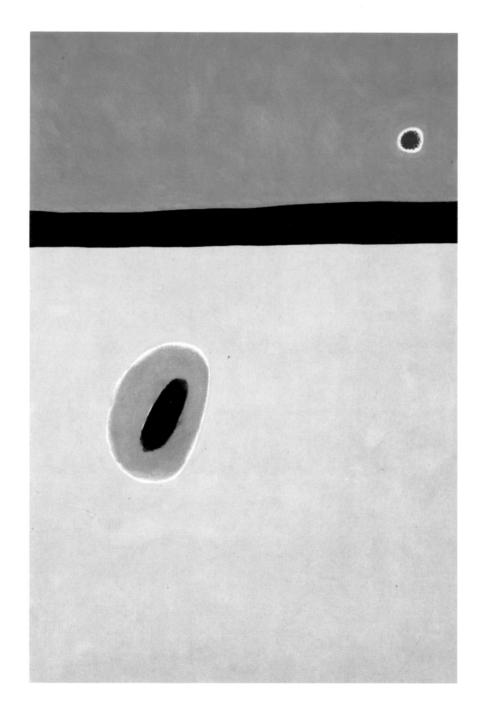

L'aile de l'alouette encerclée de bleu d'or rejoint le cœur du coquelicot qui dort sur la prairie de diamants, 1967

L'or de l'azur, 1967

Mai 1968, 1973
Ce tableau semble être l'éloge funèbre de la révolte étudiante à Paris en 1968. En voyant les coulées de peinture, les empreintes des mains de Miró et la violence des couleurs, on peut difficilement imaginer que cette toile ait été peinte par un artiste de quatre-vingts ans.

bleu lumineux d'où émergent des formes noires et rouges, dont certaines sont floues, d'autres clairement dessinées. Le spectateur est tenté de lire les trois toiles comme l'apparition et la disparition d'une barre rouge à la manière d'un ovni. Le temps, l'espace, des orbites ainsi que des microcosmes invisibles à l'œil s'offrent à nous comme éléments d'interprétation, même si ces trois tableaux résistent à une lecture logique.

Miró exécuta ce triptyque sous l'effet de son deuxième séjour aux Etats-Unis. Il avait été, en effet, durablement impressionné par les «action paintings» de Pollock et l'expressionnisme abstrait de Robert Motherwell et de Marc Rothko. Mais les formes de Miró, même réduites à leur plus simple ex-

Personnages, oiseaux, étoile, 1978
C'est d'un graphisme toujours plus elliptique
que Miró nous montre une fois encore les éléments qui caractérisent nombre de ses œuvres
mais son univers des signes n'a plus rien à
voir avec les créatures enjouées des années
précédentes.

pression, ne sont pas abstraites. Elles doivent toujours à la nature et s'inspi-
rent d'elle.

Plus de dix années après, Miró peignit *Mai 1968* (repr. p. 90), une réaction
tardive à la révolte étudiante à Paris. On a le sentiment que cette toile, qui associe et recharge gestes spontanés et signes prémédités, aurait pu être peinte
dans les années quatre-vingts. Pourtant réalisé à la même époque, *Vol d'oiseaux encerclant la femme aux trois cheveux* nous rappelle le vocabulaire de
Miró des années vingt et trente, même si le motif régulier de la jupe ne peut
être que moderne. Miró possédait un langage pictural souple et ouvert, cherchant à saisir, au-delà des époques, les impulsions et les inspirations dont il
avait besoin.

Miró fut un créateur d'une grande fécondité. Il a exécuté au moins 2000
peintures à l'huile, 500 sculptures, 400 céramiques et 5000 dessins et collages. Ses lithographies, eaux-fortes et autres œuvres graphiques se résument
à 3500 pièces qui furent pour la plupart tirées à de nombreux exemplaires,
entre cinquante et soixante-quinze en moyenne. Ses œuvres recèlent toutes
quelque chose du pays natal. Celui-ci se manifeste dans le langage que Miró
s'est forgé peu à peu à partir de ses racines.

En 1936, Miró écrivait: «Aujourd'hui, mes jeunes contemporains savent
lutter quand ils sont pauvres mais cela s'arrête dès qu'ils peuvent équilibrer
leur budget. Comparés à ces gens qui commencent leur honteux déclin à
l'âge de trente ans, combien j'admire des artistes comme Bonnard ou
Maillol. Ces deux-là continueront à lutter jusqu'à leur dernier souffle. Chaque année de leur vieillesse correspond à une nouvelle naissance. Les grands
se développent et grandissent à tout âge.»[62] Miró s'est tellement discipliné
lui-même qu'il est devenu, lui aussi, un grand artiste. Il sut lutter, apprendre
et évoluer aussi longtemps qu'il vécut, sans trahir son style. Il ne cessa de
créer un art vibrant de couleurs et d'imaginaire, sans se préoccuper le moins
du monde de l'esprit du temps. La pancarte de tramway, que Miró avait déni-
chée dans un magasin puis pendue à la porte de son atelier avait tout à fait
raison: «LE TRAIN NE S'ARRETE PAS.»

Joan Miró 1893–1983: Vie et œuvre

1893 Naissance de Joan Miró Ferra le 20 avril à Barcelone. Son père est horloger, sa mère est la fille d'un ébéniste.

1897 Naissance le 2 mai de Dolores, l'unique sœur de Miró.

1900 Entre à l'école et prend ses premiers cours de dessin. Passe l'été chez ses grands-parents paternels à Cornudella (province de Tarragone) et chez sa grand-mère maternelle à Majorque.

1907 Entre à l'école de commerce de Barcelone sur les instances de son père. S'inscrit tout de même à l'école des beaux-arts «La Escuela de la Lonja». A pour professeurs Modesto Urgell Inglada, paysagiste, et José Pasco Merisa, professeur en arts appliqués.

1910–11 Placé comme aide-comptable dans une entreprise de construction et de produits chimiques. La maladie et la dépression nerveuse convainquent le père du peu de dispositions de son fils pour le commerce. Acquisition d'une ferme par la famille à Montroig, près de Tarragone.

1912 Visite une exposition de peinture cubiste, du 20 avril au 10 mai, à Barcelone, à la galerie Dalmau: œuvres de Duchamp, Gleizes, Gris, Laurencin, Le Fauconnier, Léger et Metzinger.
A pour professeur Francesc D'A. Galí et se lie avec Josep Llorens Artigas, Enric C. Ricart Nin et Josep F. Ràfols Fontanals.

1913 S'inscrit en classe de dessin au «Cercle Artístic de Sant Lluc» (jusqu'en 1918). Présente 3 tableaux dans une exposition du Cercle.

1914 Loue un atelier avec Ricart.

1915 Service militaire d'octobre à décembre (chaque année jusqu'en 1917).

1916 Recontre le marchand d'art Josep Dalmau.

1917 Rencontre Picabia par l'intermédiaire de Dalmau.
Lit les poèmes d'Apollinaire au cours de sa dernière période de service militaire.

1918 Première exposition personnelle à la galerie Dalmau (64 tableaux et dessins). Fonde le «Agrupació Courbet».

1920 Début mars: premier séjour à Paris. Visite de musées et rencontre avec Picasso. Dessine à l'Académie de la Grande Chaumière.
Participe au festival dada à la Salle Gaveau. Trois tableaux à l'exposition française chez Dalmau à Barcelone, aux côtés de Picasso, Severini, Signac, Metzinger, Laurencin, Matisse, Gris, Braque, Cross, Dufy, Van Dongen et d'autres.
Deux tableaux à l'exposition catalane de Paris.

1921 Second séjour à Paris. Peint dans l'atelier du sculpteur catalan Pablo Gargallo. L'atelier est situé au numéro 45 de la rue Blomet, près de chez André Masson. Première exposition personnelle à Paris organisée par Dalmau.

1922 *La ferme* exposée au salon d'automne.

1924 Fait la connaissance de Paul Eluard, André Breton et Louis Aragon. Publication du premier manifeste surréaliste.

1925 Première exposition individuelle à la galerie Pierre. Très impressionné par l'art de Paul Klee qu'il découvre dans une exposition à Paris.
Participe en novembre à l'exposition «La peinture surréaliste» à la galerie Pierre et est invité au banquet en l'honneur de St. Pol Roux.

Miró à l'âge de 18 mois

1926 Brosse avec Max Ernst les décors de «Roméo et Juliette» pour les Ballets Russes de Diaghilev.
Décès de son père à Montroig.
Expose deux toiles à la «Exhibition of International Modern Art» à Brooklyn.

1927 Miró change d'atelier et emménage à la Cité des Fusains. A pour voisins Max Ernst, Jean Arp et Pierre Bonnard.

1928 Voyage en Belgique et en Hollande. Premier voyage à Madrid. Rencontre Alexander Calder à Paris.

1929 Se marie en octobre avec Pilar Juncosa à Palma de Majorque.
Rentre à Paris en novembre et emménage rue François Mouthon.

1930 Plusieurs expositions personnelles à Paris.
Participe à «La peinture au défi» à la galerie Goemans.
Naissance de sa fille unique Dolores à Barcelone. Première exposition personnelle aux Etats-Unis à la Valentine Gallery à New York.
Expose aux côtés de Masson, de Ernst et de Man Ray pour la première de «L'Age d'Or» de Luis Buñuel à Paris. Les œuvres exposées sont prises à parti par des manifestants de droite.
Premières lithographies pour «L'arbre des voyageurs» de Tzara. Fait connaissance avec le directeur de galerie Pierre Matisse.

1932 Retourne vivre dans la maison de son enfance. Travaille dans le grenier. Création des décors, des costumes et des accessoires de «Jeux d'enfants» des Ballets Russes à Monte-Carlo.

1933 Fait connaissance de Kandinsky.

1936 Eclatement de la guerre civile en Espagne. Séjours à Londres et à Paris où la guerre le surprend. Fait venir sa famille à Paris en décembre.

1937 Peint *Le faucheur* (disparu peu après) pour le pavillon espagnol de l'Exposition universelle de Paris.
Voyage à Londres.
Miró et sa fille posent ensemble, de novembre à janvier, pour un portrait peint par Balthus.
Première monographie sur Miró par Shuzo Takiguchi en japonais.

1938 Ne peut se rendre à Montroig et décide de passer l'été à Varengeville-sur-Mer, en Normandie, dans la maison de l'architecte Paul Nelson. Peint une fresque intitulée *Naissance du dauphin* sur le mur du salon.

1939 De nouveau à Paris. Les troupes de Franco prennent Barcelone.
Loue la villa «Clos des Sansonnets» à Varengeville.

Miró examinant un objet trouvé à Montroig en 1954

1940   Amitié avec Georges Braque. Commence la série des *Constellations*.

1941   Grande rétrospective de son œuvre au Museum of Modern Art à New York. Organisation et catalogue de James Johnson Sweeney.

1944   Disparition de la mère de Miró. Premières céramiques avec Llorens Artigas et premières sculptures en bronze.

1946   Exposition des «quatre Espagnols» – Dalí, Gris, Picasso et Miró – à l'Institute of Contemporary Art de Boston.

1947   Premier voyage aux Etats-Unis pour une peinture murale du Cincinnati Terrace Plaza Hotel. Travaille neuf mois dans l'atelier de Carl Holty à New York. Thomas Bouchard filme l'avènement de cette peinture. Rencontre Clement Greenberg et Jackson Pollock. Illustre «A toute épreuve» de Paul Eluard et «Antitête» de Tristan Tzara.

1950   Peinture murale, commandée par Walter Gropius, pour le Harkness Graduate Center à l'université de Harvard.

1952   Séjour à Paris et visite de l'exposition sur Jackson Pollock. Rétrospective Miró à la Kunsthalle de Bâle.

1953   Entreprend une série de céramiques avec Llorens Artigas à Gallifa.

1954   Grand Prix international de gravure à la Biennale de Venise.

1955   Commande de deux céramiques murales pour le bâtiment de l'Unesco à Paris. Participe à la documenta I à Kassel (R.F.A).

1956   S'installe à Palma de Majorque dans une villa construite par son ami Josep Lluis Sert. Vend la maison familiale de Barcelone. Commence les peintures murales de l'Unesco.

1957   Va voir les peintures rupestres d'Altamira avec Artigas. Apporte son concours à Jacques Dupin pour une grande monographie sur son œuvre.

1958   Achèvement des céramiques murales de l'Unesco.

1959   Rétrospective à New York puis à Los Angeles. Second séjour aux Etats-Unis. Participe à la documenta II à Kassel. Grand Prix de la Fondation Guggenheim pour ses peintures murales de l'Unesco.

1960   Céramique murale avec Artigas pour l'université de Harvard, en remplacement de la peinture murale de 1950. Est présentée à Barcelone, Paris et New York avant d'être installée définitivement en 1961.

1964   Inauguration de la Fondation Maeght à Saint-Paul-de-Vence, avec des sculptures de Miró et un labyrinthe décoré par lui. Céramique murale, en équipe avec Artigas, pour l'Ecole supérieure des sciences économiques de l'université Saint-Gall en Suisse. Participation à la documenta III de Kassel.

1966   Artigas et Miró réalisent une sculpture sous-marine en céramique pour une grotte à Juan-les-Pins, titre *Vénus de la mer*. Rétrospective au National Museum of Modern Art de Tokyo, qui est montrée aussi à Kyoto. Premier voyage au Japon. Premières sculptures monumentales en bronze.

1968   Nommé docteur honoris causa de l'université de Harvard. Dernier voyage aux Etats-Unis.

1970   Céramique murale pour l'aéroport de Barcelone, en collaboration avec Artigas. Trois céramiques murales monumentales et un jardin pour le pavillon en verre de l'Exposition universelle d'Osaka.

1975   Inauguration officieuse de la Fundació Joan Miró au Centre d'Estudis d'Art Contemporani de Barcelone. Mort de Franco.

1976   Inauguration officielle de la Fundació Joan Miró. Projet de pavement pour la «Pla de Os». Céramiques murales pour les laboratoires IBM de Barcelone et pour le Wilhelm-Hack-Museum de Ludwigshafen.

1978   Pièce de théâtre catalane «Mori el Merma» jouée dans les capitales européennes. Rétrospectives au Museo Español de Arte Contemporáneo de Madrid et à la Sa Llotja de Majorque. Rétrospective de l'œuvre graphique de Miró à Madrid.

Miró travaillant sur une frise, vers 1958

Deux expositions de dessins et de sculptures à Paris. Sculpture monumentale pour l'Esplanade de la Défense à Paris.

1980   Diverses expositions: «Joan Miró: The Development of a Sign Language» à la Washington University Gallery of Art de Saint Louis puis à Chicago. Rétrospective au Joseph Hirshhorn Museum and Sculpture Garden à Washington (présentée aussi à Buffalo, NY) et une autre au Museo de Arte Moderno à Mexico City puis à Caracas. Céramique murale pour le Palacio de Congreso y Exposiciones de Madrid.

1981   Inauguration de la sculpture monumentale *Miss Chicago* à Chicago. Création des costumes et des décors du ballet «Miró l'Uccello Luce» à Venise. Inauguration de deux sculptures monumentales à Palma de Majorque.

1982   Inauguration de deux sculptures monumentales *Personnage et oiseaux* à Houston. Rétrospective à La Fundació Joan Miró de Barcelone. Inauguration de la sculpture *Dona i Ocell* (Femme et oiseau) dans un parc de Barcelone.

1983   Inauguration d'une sculpture monumentale dans la cour du siège gouvernemental à Barcelone. Décès de Miró le 25 décembre à Palma de Majorque. Obsèques solennelles au cimetière Montjuic de Barcelone.

1992   Inauguration en décembre du Musée Miró dans l'atelier de l'artiste qui avait été construit par Josep Lluis Sert à Palma de Majorque.

Légendes

2
Danseuse, 1925
Huile sur toile, 115,5 x 88,5 cm
Lucerne, Galerie Rosengart

6
Autoportrait, 1917
Huile sur toile, 61 x 50 cm
New York, collection privée

8
Le paysan, vers 1912–14
Huile sur toile, 65 x 50 cm
Collection privée

10 en haut
Le pédicure, 1901
Aquarelle, gouache et crayon sur papier, 11,6 x 17,7 cm
Barcelone, Fundació Joan Miró

10 au milieu
Esquisse de bijou: Le serpent enroulé, 1908
Dessin au charbon et crayon, 48,5 x 63 cm
Barcelone, Fundació Joan Miró

10 en bas
Paon, 1908
Fusain et craie, 49,5 x 63,6 cm
Barcelone, Fundació Joan Miró

11 en haut
Nature morte à la rose, 1916
Huile sur carton, 77 x 74 cm
Suisse, collection privée

11 au milieu
Paul Cézanne
Nature morte aux pommes et aux oranges, 1895–1900
Huile sur toile, 75 x 93 cm
Paris, Musée d'Orsay

11 en bas
Henri Matisse
La desserte rouge, 1908
Huile sur toile, 180 x 220 cm
St.-Pétersbourg, Ermitage

12 en haut
Vincent Van Gogh
Le Père Tanguy, vers 1887
Huile sur toile, 92 x 73 cm
Paris, Musée Rodin

12 en bas
Claude Monet
La Japonaise (Camille Monet en costume japonais), 1876
Huile sur toile, 231 x 142 cm
Boston (MA), Courtesy Museum of Fine Arts, 1951 Purchase Fund

13
Portrait de E.C. Ricart, 1917
Huile et estampe collée sur toile, 81 x 65 cm
Chicago (IL), collection Marx

14
Portrait de V. Nubiola, 1917
Huile sur toile, 104 x 113 cm
Essen, Museum Folkwang

15
Portrait de Heriberto Casany, aussi: Le chauffeur, 1918
Huile sur toile, 70 x 62 cm
New York, collection Edward A. Bragaline

16 en haut
Prades, le village, 1917
Huile sur toile, 65 x 72,6 cm
New York, The Solomon R. Guggenheim Foundation

17
Ciurana, le sentier, 1917
Huile sur toile, 60 x 73 cm
Paris, collection Tappenbeck

18
Esquisse d'affiche pour la revue «L'Instant», 1919
107 x 76 cm
Barcelone, collection Joaquim Gomis

19
Nord-Sud, 1917
Huile sur toile, 62 x 70 cm
Collection privée

20
Le potager à l'âne, 1918
Huile sur toile, 64 x 70 cm
Stockholm, Moderna Museet

21
L'ornière, 1918
Huile sur toile, 75 x 75 cm
New York, collection Stern

22 en bas
Autoportrait, 1917
Huile sur toile, 61 x 50 cm
New York, collection privée

23
Autoportrait, 1919
Huile sur toile, 75 x 60 cm
Paris, Musée Picasso (anciennement collection Pablo Picasso)

25
La table (Nature morte au lapin), 1920
Huile sur toile, 130 x 110 cm
Zurich, collection Gustav Zumsteg

26
Nu debout, 1921
Huile sur toile, 130 x 96 cm
New York, Perls Galleries

27
Nu, 1917
Crayon, 21,2 x 15,2 cm
Barcelone, Fundació Joan Miró

28
Nu debout, 1918
Huile sur toile, 153,1 x 120,7 cm
Saint Louis (MO), The St. Louis Art Museum, Purchase: Friends Fund

29 en haut
Nu au miroir, 1919
Huile sur toile, 112 x 102 cm
Düsseldorf, Kunstsammlung Nordrhein-Westfalen

29 en bas
Nu assis, 1917/18
Crayon, 31,3 x 21,5 cm
Barcelone, Fundació Joan Miró

30
La ferme, 1921/22
Huile sur toile, 132 x 147 cm
Washington (DC), National Gallery of Art
(prêt de Mary Hemingway)

32
La table au gant, 1921
Huile sur toile, 116,8 x 89,5 cm
New York, Collection, The Museum of Modern Art, don de Armand G. Erpf

33
La lampe de carbure, 1922/23
Huile sur toile, 38,1 x 45,7 cm
New York, Collection, The Museum of Modern Art, Purchase

34
La fermière, 1922/23
Huile sur toile, 81 x 65 cm
New York, collection Mme Marcel Duchamp

35
L'épi de blé, 1922/23
Huile sur toile, 37,8 x 46 cm
New York, Collection, The Museum of Modern Art, Purchase

36
Paysage, 1924/25
Huile sur toile, 47 x 45 cm
Essen, Museum Folkwang

37
L'addition, 1925
Huile sur toile, 195 x 130 cm
Paris, Musée National d'Art Moderne, Centre Georges Pompidou

38
Terre labourée, 1923/24
Huile sur toile, 66 x 92,7 cm
New York, The Solomon R. Guggenheim Foundation

39 en haut
Etude pour: Paysage catalan, 1923/24
Crayon et sanguine, 8,5 x 10,8 cm
Barcelone, Fundació Joan Miró

39 en bas
Paysage catalan (Le chasseur), 1923/24
Huile sur toile, 64,8 x 100,3 cm
New York, Collection, The Museum of Modern Art, Purchase

40/41
Le carnaval d'Arlequin, 1924/25
Huile sur toile, 66 x 93 cm
Buffalo (NY), Albright-Knox Art Gallery, Room of Contemporary Art Fund 1940

42 en haut
Etude pour: Le carnaval d'Arlequin, 1924/25
Crayon et sanguine, 16,6 x 19,2 cm
Barcelone, Fundació Joan Miró

42 en bas
Etude pour: La sieste, 1925
Crayon, 16,5 x 19,2 cm
Barcelone, Fundació Joan Miró

43
La sieste, 1925
Huile sur toile, 97 x 146 cm
Paris, Musée National d'Art Moderne, Centre Georges Pompidou

44
Baigneuse, 1925
Huile sur toile, 73 x 92 cm
Paris, Musée National d'Art Moderne, Centre Georges Pompidou

45
Photo – ceci est la couleur de mes rêves, 1925
Huile sur toile, 96,5 x 129,5 cm
Collection privée

46
Personnage lançant une pierre à un oiseau, 1926
Huile sur toile, 73,7 x 92,1 cm
New York, Collection, The Museum of Modern Art, Purchase

47
Chien aboyant à la lune, 1926
Huile sur toile, 73 x 92 cm
Philadelphie (PA), The Philadelphia Museum of Art, A.E. Gallatin Collection

48 en haut
Jean Arp
Tête solide, 1926
Bois peint, 61 cm de haut
Bruxelles, collection P. Janlet

49
Paysage (Le lièvre), 1927
Huile sur toile, 130 x 195 cm
New York, The Solomon R. Guggenheim
Foundation

50 à gauche
Hendrick Martensz Sorgh
Le joueur de luth, 1661
Huile sur bois, 51,5 x 38,5 cm
Amsterdam, Rijksmuseum

50 à droite
Intérieur hollandais I, 1928
Huile sur toile, 91,8 x 73 cm
New York, Collection, The Museum of Modern Art,
Mrs. Simon Guggenheim Fund

51 en haut à gauche
Intérieur hollandais II, 1928
Huile sur toile, 92 x 73 cm
New York, The Solomon R. Guggenheim Foundation,
Peggy Guggenheim Collection, Venice

51 en haut à droite
Jan Steen
La leçon de danse du chat
Bois, 68,5 x 59 cm
Amsterdam, Rijksmuseum

51 en bas
Etudes pour: Intérieur hollandais II, 1928
Crayon, 21,8 x 16,8 cm
Barcelone, Fundació Joan Miró

52 en haut
La Reine Louise de Prusse, 1929
Huile sur toile, 82,4 x 101 cm
Dallas (TX), Algur H. Meadows Collection, Meadows
Museum, Southern Methodist University

52 à gauche
Esquisse de Miró sur une annonce publicitaire, 1929
Crayon

52 en bas
Etudes pour: La Reine Louise de Prusse, 1929
Crayon
Barcelone, Fundació Joan Miró

53
Portrait de Mrs. Mills en 1750 (d'après Constable),
1929
Huile sur toile, 116,7 x 89,6 cm
New York, Collection, The Museum of Modern Art,
James Thrall Soby Bequest

54
Chiffres et constellations amoureux d'une femme, 1941
Gouache et peinture à l'essence sur papier, 46 x 38 cm
Chicago (IL), The Art Institute of Chicago.
All Rights Reserved

56
Peinture, 1933
Huile sur toile, 130,4 x 162,5 cm
Barcelone, Fundació Joan Miró

57 en haut
Composition, 1933
Huile sur toile, 130 x 162 cm
Berne, Kunstmuseum Bern

57 en bas
Peinture, 1933
Huile sur toile, 130 x 162 cm
Prague, Národni Galeri

58
Peinture-collage, 1934
Collage sur papier de verre, 37 x 24 cm
Philadelphie (PA), The Philadelphia Museum of Art,
A.E. Gallatin Collection

59
Hirondelle/Amour, hiver 1933-34
Huile sur toile, 199,3 x 247,6 cm
New York, Collection, The Museum of Modern Art,
don de Nelson A. Rockfeller

60
Corde et personnages I, 1935
Huile et corde sur carton, collé sur bois,
104,7 x 74,6 cm
New York, Collection, The Museum of Modern Art,
don de la Pierre Matisse Gallery

61
Peinture, 1950
Huile, corde et case-arte sur toile, 99 x 76 cm
Eindhoven, Stedelijk Van Abbe Museum

62
Nature morte au vieux soulier, Paris,
24 janvier-29 mai 1937
Huile sur toile, 81,3 x 116,8 cm
New York, Collection, The Museum of Modern Art,
don de James Thrall Soby

63
Homme et femme devant un tas d'excréments, 1936
Huile sur cuivre, 23,2 x 32 cm
Barcelone, Fundació Joan Miró

64 à gauche
Le faucheur, 1937
Huile sur celotex, 550 x 365 cm. Disparu

65 en haut
Aidez l'Espagne, 1937
Sérigraphie, 24,8 x 19,4 cm
Collection privée

65 en bas
Pablo Picasso
Guernica (version définitive), 1937
Huile sur toile, 349,3 x 776,6 cm
Madrid, Centro de Arte de la Reina Sofía

66
Une goutte de rosée tombant de l'aile d'un oiseau ré-
veille Rosalie endormie à l'ombre d'une toile d'arai-
gnée, 1939
Huile sur toile, 65,4 x 91,7 cm
Iowa (IA), The University of Iowa Museum of Art,
The Mark Ranney Memorial Fund

67
L'échelle de l'évasion, 1939
Huile sur toile, 73 x 54 cm
Chicago (IL), collection privée

68
Peinture, 1943
Huile et pastel sur toile, 40 x 30 cm
Barcelone, Fundació Joan Miró

69 en haut
Le chant du rossignol à minuit et la pluie matinale,
1940
Gouache et peinture à l'essence sur papier, 38 x 46 cm
New York, Perls Galleries

69 en bas
Etude pour: Constellations, 1940
Crayon, 31,2 x 23,3 cm
Barcelone, Fundació Joan Miró

70
Constellation: Le réveil au petit jour, 1941
Gouache et peinture à l'essence sur papier, 46 x 38 cm
New York, collection privée

71
Femmes, oiseaux, étoiles, 1942
Charbon, plume, encre de chine, aquarelle
et gouache, 90 x 43 cm
Collection privée

72
Constellation: L'étoile matinale, 1940
Gouache et peinture à l'essence sur papier, 38 x 46 cm
Palma de Majorque, collection privée

73 en haut
La course de taureaux, 1945
Huile sur toile, 114 x 145 cm
Paris, Musée National d'Art Moderne,
Centre Georges Pompidou

73 en bas
Femmes et oiseaux au lever du soleil, 1946
Huile sur toile, 54 x 65 cm
Barcelone, Fundació Joan Miró

74
Femme devant le soleil, 1950
Huile sur toile, 65 x 50 cm
Collection privée

75
Les échelles en roue de feu traversent l'azur, 1953
Huile sur toile, 116 x 89 cm
Collection privée

77
Paysan catalan au clair de la lune, 1968
Peinture acryl sur toile, 162 x 130 cm
Barcelone, Fundació Joan Miró

79
Céramique murale, 1968
200 x 125 cm
Saint-Paul-de-Vence, fondation Maeght

80/81
Le mur du soleil, 1955–1958
Carreaux de céramique, 3 x 15 m
Paris, Unesco

82
Sa Majesté, 1967/68
Bronze peint, 120 x 30 x 30 cm
Collection privée

83 à gauche
Jeune fille s'évadant, 1968
Bronze peint, 135 x 50 x 35 cm
Collection privée

83 à droite
Femme et oiseau, 1967
Bronze peint, 135 x 50 x 42 cm
Collection privée

84
Personnage, 1970
Bronze, 200 x 200 x 100 cm
Collection privée

85 à gauche
Constellation, 1971
Bronze, 142 x 130 x 44 cm
Collection privée

85 à droite
Femme insecte, 1968
Bronze, 108 x 21 x 18 cm
Collection privée

86
Bleu II, 1961
Huile sur toile, 270 x 355 cm
Paris, Musée National d'Art Moderne,
Centre Georges Pompidou

87
Bleu III, 1961
Huile sur toile, 270 x 355 cm
Paris, Musée National d'Art Moderne,
Centre Georges Pompidou

88
L'aile de l'alouette encerclée de bleu d'or rejoint le
cœur du coquelicot qui dort sur la prairie de diamants,
1967
Huile sur toile, 195 x 130 cm
Collection privée

89
L'or de l'azur, 1967
Huile sur toile, 205 x 173,5 cm
Barcelone, Fundació Joan Miró

90
Mai 1968, 1973
Peinture acrylique sur toile, 200 x 200 cm
Barcelone, Fundació Joan Miró

91
Personnages, oiseaux, étoile, 1978
Peinture acrylique sur toile, 88,7 x 115 cm
Barcelone, Fundació Joan Miró

Notes

1 Man Ray, Autoportrait, Boston/Toronto, 1963,
   pp. 251–252
2 Entretien avec André Masson et Michel Leiris sur
   Miró, dans: Apollo, Volume 127, mars 1988, p. 190
3 Clement Greenberg, Joan Miró, New York, 1948,
   p. 38
4 Lettre de Miró à Jacques Dupin sur sa vie, dans:
   Joan Miró, Selected Writings and Interviews. Prés.
   par Margit Rowell (Ed.), Londres, 1987 (abréviation employée «Rowell»), pp. 44–45
5 Cf. note 4
6 Id.
7 Id.
8 Lettre de Miró à Michel Leiris, 25 septembre 1929,
   Rowell, p. 110
9 Cf. note 8 et Miró dans un entretien avec James
   Johnson Sweeney, Partisan Review, février 1948,
   repris dans: Rowell, pp. 207–211, ici p. 208
10 Galí cité par Jacques Dupin, Joan Miró – Life and
   Work, New York, 1960 (abréviation employée
   «Dupin»)
11 Cf. note 4
12 Robert S. Lubar: Mirós katalanische Anfänge,
   dans: Joan Miró, Catalogue de l'exposition du
   Kunsthaus Zürich et de la Städtische Kunsthalle
   Düsseldorf, 1986, p. 15
13 Lettre de Miró à E.C. Ricart, Barcelona, 7 octobre
   1916, dans: Rowell, p. 49
14 R.S. Lubar, cf. note 12, p. 15
15 Walther L. Bernecker: Sozialgeschichte Spaniens
   im 19. und 20. Jahrhundert, Francfort-sur-le-Main,
   1990, p. 233
16 Lettre de Miró à E.C. Ricart, Barcelona, 1er octobre 1917, dans: Rowell, pp. 52–53
17 Lettre de Miró à E.C. Ricart, Barcelona, 11 mai
   1918, dans: Rowell, p. 53
18 Cf. note 17
19 Lettre de Miró à E.C. Ricart, Montroig, 16 juillet
   1918, dans: Rowell, p. 54
20 Lettre de Miró à J.F. Ràfols, Montroig, 11 août
   1918, dans: Rowell, p. 57. Dans sa lettre du 9 juillet
   1919 à E.C. Ricart, Miró se compare indirectement
   à Walt Whitman.
21 Lettres de Miró à E.C. Ricart, Montroig, 14 septembre 1919 et vraisemblablement novembre 1919,
   dans: Rowell, pp. 64 et 65
22 Lettre de Miró à J.F. Ràfols, Montroig, 25 juillet
   1920, dans: Rowell, p. 74
23 Lettre de Miró à J.F. Ràfols, Barcelona, 18 novembre 1920, dans: Rowell, p. 75
24 Lettre de Miró à J.F. Ràfols, Paris, Hôtel de Rouen,
   probablement mars 1920, dans: Rowell, p. 71
25 Miró, Memories of the Rue Blomet, transcribed by
   Jacques Dupin, 1977, dans: Rowell, pp. 100–101
26 Cf. note 25, p. 101
27 Francesc Trabal: A conversation with Joan Miró,
   Barcelone 1928, dans: Rowell, pp. 92–93
28 Cf. note 27, p. 93
29 Cf. note 28

30 Lluis Permanyer: Revelations by Joan Miró about
   his Work, dans: Gaceta Ilustrada, Madrid, avril
   1978, repris dans: Rowell, p. 290
31 R.S. Lubar, cf. note 12, p. 12
32 Gabriele Sterner: Barcelona – Antoni Gaudí, Archi-
   tektur als Ereignis, Cologne 1979, p. 9
33 James Johnson Sweeney: Entretiens avec Miró, Partisan Review, New York, février 1948, dans:
   Rowell, pp. 207–211, voir p. 207
34 Ernest Hemingway, dans: Clement Greenberg, cf.
   note 3
35 Gaëtan Picon: Joan Miró – Catalan Notebooks,
   unpublished drawings and writings, New York,
   1977, p. 128
36 Rosalind Krauss et Margit Rowell, dans: Magnetic
   Fields, Solomon R. Guggenheim Foundation, New
   York, 1972, p. 74
37 Lettre de Miró à Roland Tual, Montroig, 31 juillet
   1922, dans: Rowell, p. 79
38 Cf. note 22
39 Gaëtan Picon, cf. note 35, pp. 72–73
40 Cf. note 37
41 Le manifeste surréaliste, in: Dada, Surrealism and
   their Heritage, prés. par William S. Rubin, The Museum of Modern Art, New York, 1968, p. 64
42 Miró in the Collection of the Museum of Modern
   Art, prés. par William S. Rubin, The Museum of
   Modern Art, New York, 1973, p. 33
43 Lettre de Miró à Michel Leiris, Montroig, 31 octobre 1924, dans: Rowell, p. 87
44 Id.
45 Dupin, p. 179
46 Dupin, p. 239
47 Lettre de Miró à Sebastià Gasch, Monte Carlo,
   probablement mars–avril 1932, dans: Rowell, p. 119
48 Cf. note 42, p. 64
49 Rowell, p. 136
50 Lettre de Miró à Pierre Matisse, Paris, Hôtel
   Récamier, 12 janvier 1937, dans: Rowell, p. 146
51 Lettre de Miró à Pierre Matisse, Paris, Hôtel
   Récamier, 12 février 1937, pp. 146–148
52 Voir note 33, pp. 209–211
53 Rowell, pp. 175–195
54 Miró: Je rêve d'un grand atelier dans: XXe siècle,
   Paris, mai 1938, repris dans: Rowell, pp. 161–162
55 Lettre de Miró à Pierre Loeb, Montroig, 30 août
   1945, dans: Rowell, pp. 197–198
56 Carl Holty: Artistic Creativity, dans: Bulletin of the
   Atomic Scientists, no. 2, février 1959, pp. 77–81
57 Cf. note 3, p. 42
58 Barbara Rose: Miró aus amerikanischer Sicht,
   dans: Catalogue de l'exposition Mirós katalanische
   Anfänge, cf. note 12
59 Miró: My Latest Work is a Wall, dans: Derrière le
   miroir, Paris, juin–juillet 1958, repris dans: Rowell,
   pp. 242–245
60 Cf. Nicholas Watkins: Miró and the «Siruells»,
   dans: The Burlington Magazine, London, no. 132,
   Automne 1992, pp. 90–95
61 Entretien de Miró avec Denis Chevalier dans: Aujourd'hui, Art et Architecture, Paris, novembre
   1962, repris dans: Rowell, pp. 262–271
62 Entretien de Miró avec Georges Duthuit, Where
   Are You Going, Miró? dans: Cahiers d'Art, Paris,
   nos. 8–10, 1936, repris dans: Rowell, pp. 150–155,
   cf. p. 150

La maison d'édition tient à remercier les archives pho-
tographiques, les photographes, les musées et les pro-
priétaires pour les crédits photographiques suivants:
Archiv für Kunst und Geschichte, Berlin: 11, 65
Artothek, Peissenberg: 36, 46, 57
Photographe © 1992, The Art Institute of Chicago.
All Rights Reserved, Chicago: 54
Francesc Catalá-Roca, Barcelone: 76, 79
Colorphoto Hans Hinz, Allschwill: 2
David Heald, New York: 16, 38, 49, 51
© Photo R.M.N., Paris: 23
Philippe Migeat, Paris: 73, 86
Kunsthaus Zürich, Zurich: 75